LA LOI DE 1905
QUAND L'ÉTAT SE SÉPARAIT
DES ÉGLISES

JEAN-MICHEL DUCOMTE

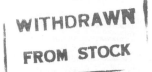
LES   MILAN

Sommaire

Les mots suivis d'un astérisque (*) sont expliqués dans le glossaire.

UNE LOI « JUSTE ET SAGE »

C'est par ces mots que Jean Jaurès définit la loi du 9 décembre 1905 et ses 44 articles qui fondent la séparation des Églises et de l'État. Le soutien qu'il a apporté à Aristide Briand, principal artisan de l'élaboration de ce texte, a aidé à en faire un acte de pacification et, en même temps, la pierre angulaire du modèle laïque français. Un monde s'achève alors, celui marqué par la prétention de l'Église catholique à régir le sort des hommes et à fonder la légitimité du pouvoir. La révolution de 1789 a entamé de façon décisive le processus en affirmant l'égalité en droits de tous les individus ainsi que leur liberté de conscience. Mais il faut encore attendre que les mentalités changent, que les pouvoirs successifs cessent de voir dans l'Église la garantie de la cohésion sociale, que la raison critique soit reconnue comme instrument de compréhension du monde, que l'école s'émancipe de la tutelle cléricale. À défaut d'accepter la république, l'Église catholique, liée à l'État par un concordat depuis 1801, devra en être séparée et, avec elle, tous les autres cultes. Cette séparation, engagée dans un climat conflictuel, a été mise en œuvre dans un esprit d'apaisement pour devenir un principe accepté de tous. Au terme d'un siècle d'application, si tous les débats ne sont pas éteints ni toutes les questions résolues, force est de constater que l'exemplarité du système mis en place reste intacte.

Plantation d'un arbre de la liberté sous la Révolution française.

La politique religieuse de la Révolution française

Même si le projet politique de la Révolution française n'est pas antireligieux, nombre de ses principes vont rompre la vieille alliance du trône et de l'autel.

La nationalisation des biens de l'Église

Les autres cultes

La Révolution permet aux autres cultes, principalement protestants et juifs, d'accéder à une égalité en droits avec le catholicisme et de bénéficier d'une même liberté d'exercice. D'autres cultes, plus circonstanciels, voient le jour comme les cultes décadaires ou théosophiques, le culte de l'Être suprême ou de la déesse Raison.

Dans l'unanimité de la nuit du 4 août 1789, le clergé, premier des ordres privilégiés, perd sa source principale de revenu, la dîme, et ses privilèges fiscaux. Le 2 novembre, un décret de l'Assemblée nationale décide que « tous les biens ecclésiastiques sont à la disposition de la nation, à charge de pourvoir, d'une manière convenable, aux frais du culte, à l'entretien de ses ministres et au soulagement des pauvres ». La vente de ces biens à partir d'avril 1790 a été une source de revenu non négligeable pour les gouvernements de la période révolutionnaire.

La liberté d'opinion

En posant le principe de la liberté de conscience – que la Constitution du 3 septembre 1791 élargira explicitement à la liberté pour chacun d'exercer « le culte religieux auquel il est attaché » –, l'article 10 de la Déclaration des droits de l'homme et du citoyen ruine le monopole dont disposait l'Église catholique. Même s'il faut attendre quelque temps encore pour que l'égalité devant la loi soit complète pour les protestants et les juifs, la brèche est ouverte.

La condamnation des vœux monastiques

À cela s'ajoute une remise en cause des vœux monastiques perpétuels. Ils sont considérés comme portant atteinte à la liberté individuelle – dans certains cas, on pouvait douter de la libre détermination de ceux qui les avaient prononcés. Dès le 28 octobre 1789,

généalogie de l'idée de séparation | causes de la séparation | loi du 9 décembre 19

ces vœux sont suspendus avant que le 13 février 1790, un décret en délie définitivement les religieux et supprime les ordres et congrégations* qui pourraient les imposer. Liberté est donnée aux moines et religieuses de quitter leur ordre. Le 18 août 1792, un décret supprimant les congrégations religieuses est adopté.

La Constitution civile du clergé

Dans un souci – d'inspiration gallicane* – de réorganisation du paysage religieux, les constituants vont adopter le 12 juillet 1790 la Constitution civile du clergé. La nation s'engage à assurer la charge financière de la religion catholique et notamment le traitement des membres du clergé. Les évêques et les curés sont élus par le peuple des croyants. L'investiture canonique des évêques échappe désormais au pape. Avant de prendre leurs fonctions, les nouveaux élus doivent prêter deux serments : l'un de se conformer aux enseignements de leur foi, l'autre « *d'être* [fidèles] *à la nation, à la loi et au Roi, et de maintenir de tout* [leur] *pouvoir la Constitution* ».

La première séparation

L'application de la Constitution civile du clergé ne s'est pas faite sans difficultés. Un certain nombre d'évêques et de curés refusent de prêter le serment qui leur est imposé. À partir de 1794, l'attitude des gouvernements révolutionnaires se radicalise en réponse à l'opposition du pape. Le 18 septembre 1794, la Convention décide de supprimer le budget du culte. Cette mesure affecte exclusivement les catholiques. Sous la Convention thermidorienne, un décret du 3 ventôse an III (21 février 1795) affirme que la République ne salarie aucun culte ni ne reconnaît aucun ministre du culte. Il interdit l'apposition de tout signe religieux dans les lieux publics. Le décret du 7 vendémiaire an IV (29 septembre 1795) en confirme les termes. Cette première séparation inspirera les rédacteurs de la loi du 9 décembre 1905.

Les mesures complémentaires

D'autres mesures comme la laïcisation de l'état civil, l'instauration du divorce ou la tentative de remise en cause du calendrier grégorien ont contribué à réduire l'influence idéologique de la religion catholique.

Même si la France reste très majoritairement catholique, l'œuvre de la Révolution en matière de religion marque une rupture essentielle dans les relations entre l'Église catholique et les autorités publiques.

Le Concordat

Si le choix de conclure un concordat* avec le Vatican peut sembler constituer un recul par rapport à la politique des gouvernements de la période révolutionnaire, la réalité est plus complexe.

Les raisons

En dépit du développement de l'incroyance consécutif à la Révolution, la revendication en faveur d'un rétablissement des droits de l'Église ne s'est jamais éteinte. Elle est reprise sous le Directoire (1795-1799) par les adversaires du régime. Les cicatrices des guerres de Vendée, en partie armées par un sentiment contre-révolutionnaire d'inspiration ultramontaine*, la reprise d'un militantisme catholique démontrent la nécessité d'une pacification religieuse. Il serait envisageable de confirmer le régime de séparation en l'assortissant d'une claire réaffirmation de la liberté religieuse. L'Église catholique y est favorable, pensant jouer de cette liberté pour retrouver son influence perdue. Pour Bonaparte, une telle solution est inconcevable car elle laisse à l'Église une liberté trop large. En même temps, il souhaite se servir de l'autorité du pape pour asseoir son propre pouvoir.

La négociation

Les négociations s'engagent dès le mois de juin 1800 pour se conclure avec la signature du Concordat le 15 juillet 1801. La discussion se concentre sur trois sujets principaux : le statut de la religion catholique, le renouvellement du corps épiscopal, enfin, la reconnaissance des biens nationaux*. Dans ces trois domaines,

Tableau représentant la signature du Concordat par Bonaparte et Pie VII le 15 juillet 1801.

des compromis sont trouvés. La papauté concède que la religion catholique n'est plus religion d'État, mais simplement « *religion de la très grande majorité des Français* », cependant que les consuls s'engagent

généalogie de l'idée de séparation | causes de la séparation | loi du 9 décembre 1

à en faire « *profession particulière* ». Touchant le renouvellement du corps épiscopal, le pape Pie VII contraint à la démission les évêques qui ont soutenu sa politique contre la Révolution. Bonaparte fait de même à l'égard du clergé constitutionnel* qui, derrière notamment l'abbé Grégoire, n'a jamais cessé de manifester sa fidélité au nouveau régime. À quelques exceptions près, ce renouvellement des titulaires d'évêchés se fait sans drames et selon la procédure instituée par le Concordat : nomination par le Premier consul, suivie de l'investiture canonique donnée par le pape selon le rituel de l'Ancien Régime. La question des biens nationaux paraît plus sensible. À défaut de restitution, c'est de compensation qu'il est question, mais d'une compensation dont la mise en œuvre doit, dans l'esprit de Bonaparte, faire du clergé catholique son obligé. En effet, il est décidé que la France salariera les membres du clergé séculier*.

Les dispositions

Par la loi du 18 germinal an X (8 avril 1802), le texte est approuvé, complété, il est vrai, par les Articles organiques du culte catholique d'inspiration nettement gallicane* qui permettent à Bonaparte de reprendre partiellement d'une main ce qu'il a lâché de l'autre dans le cadre des négociations. Grâce au catéchisme impérial rédigé par Bernier, Bonaparte confie les louanges de son action au clergé qu'il salarie. Le mariage du trône et de l'autel peut ainsi se reconstituer. Dans le prolongement du Concordat, les cultes protestants et la religion juive sont dotés d'un statut identique au culte catholique. Les cultes reconnus* (catholique, luthérien, calviniste, juif) deviennent un service public. C'est à Portalis qu'est confiée l'application du Concordat. Il s'attache à en faire une lecture favorable aux intérêts de l'Église. Ainsi, les évêques sont autorisés à contrôler l'enseignement religieux dans les écoles.

Bonaparte et la religion

« *Je ne vois pas dans la religion le mystère de l'incarnation, mais le mystère de l'ordre social.* » Héritier de l'esprit du siècle des Lumières, Bonaparte a une vision essentiellement utilitaire de la religion.

Les opposants au Concordat

L'approbation finale du Concordat a donné lieu à une bataille politique conduite par le « parti philosophique » devant le Tribunat et le Corps législatif. L'armée elle-même, de culture clairement républicaine, dénonce le texte. « *Il n'y manquait que les 100 000 hommes qui se sont fait tuer pour supprimer tout cela* », reprochera le général Delmas à Bonaparte.

> Œuvre d'apaisement, le Concordat va régir la relation des Églises et de l'État jusqu'à la loi de séparation de 1905.

Les penseurs de la séparation

Avant de s'imposer sur le terrain législatif, la séparation des Églises et de l'État, principalement conçue comme l'instrument d'un cantonnement du pouvoir de l'Église catholique, a été défendue par de nombreux intellectuels et hommes politiques.

Une réponse au cléricalisme

Si des acteurs de la Révolution française ont clairement manifesté leur hostilité à l'égard de la puissance sociale du clergé, c'est essentiellement à partir de la Restauration (1814-1830) qu'un certain nombre de penseurs suggèrent de séparer l'Église et l'État pour tenter de briser la nouvelle alliance du trône et de l'autel. La première proposition argumentée en est faite par Benjamin Constant dans son ouvrage *De la religion*. La préservation de la liberté religieuse lui paraît aussi nécessaire que l'indépendance entre pouvoir religieux et pouvoir politique. De façon plus déterminée, le théologien protestant Alexandre Vinet propose en 1825 d'interdire à l'État de se prononcer sur le contenu des croyances et de supprimer toute contribution publique à l'entretien des cultes. Ses idées seront relayées par *Le Globe*, un organe de presse fondé en 1824. L'écrivain Paul-Louis Courier défend la même idée sur un mode plus anticlérical. De façon plus surprenante, l'abbé Félicité de Lamennais (1782-1854), qui s'est d'abord fait connaître par son engagement farouchement ultramontain*, adopte dans les dernières années de son existence une attitude clairement favorable à une séparation. Sous la monarchie de Juillet (1830-1848), l'idée de séparation est défendue par Lamartine avant d'être reprise par Jules Michelet et surtout Edgar Quinet.

généalogie de l'idée de séparation | causes de la séparation | loi du 9 décembre 1...

Une conviction républicaine

C'est à partir du Second Empire (1852-1870), de façon timide il est vrai, puis à partir de l'établissement de la IIIe République en 1870 que l'idée d'une nécessaire séparation de l'Église – catholique essentiellement – et de l'État sera défendue par des forces politiques et des propagandistes. Laboulaye, auteur de *La Liberté religieuse*, et Prévost-Paradol, dans *Du protestantisme en France*, reprennent les propositions exposées quelque temps plus tôt par Vinet. Jules Simon, dans une intervention devant le Corps législatif en 1867, se prononce dans le même sens. En 1869, le « programme de Belleville » élaboré par Gambetta*, qui sera la charte politique du radicalisme, préconise la séparation ainsi que la suppression du budget des cultes. Au sein de l'Assemblée constituante élue en 1871, des parlementaires républicains comme Henri Brisson mais aussi de fervents catholiques ou des protestants se prononcent également en faveur de la séparation à l'occasion du débat sur la réforme de la composition du Conseil supérieur de l'instruction publique. Des savants comme Paul Bert et Marcelin Berthelot, des philosophes républicains tels Émile Littré et Charles Renouvier expriment une conviction de même nature. La Libre Pensée*, dont les premières sociétés ont été fondées dès 1848, fait de la séparation l'axe central de son combat anticlérical. En 1882 est constituée une Ligue pour la séparation des Églises et de l'État regroupant des militants célèbres de la Libre Pensée ainsi que des parlementaires. Au sein de la franc-maçonnerie*, des loges du Grand Orient de France – qui a abandonné en 1877 toute référence déiste ou religieuse et prôné la liberté absolue de conscience – apportent leur soutien au combat en faveur de la séparation.

> **La Commune de Paris**
>
> Le 3 avril 1871, la Commune de Paris décrète que « *l'Église est séparée de l'État* » et que « *le budget des cultes est supprimé* ». Elle procède également à la nationalisation des biens des congrégations*.

> À partir de la Restauration, en 1814, l'idée d'une séparation des Églises et de l'État se diffuse progressivement, en réponse à l'attitude clairement contre-révolutionnaire puis antirépublicaine de l'Église catholique.

Le précédent américain

Dès l'adoption de la Constitution des États-Unis en 1787, plus nettement encore en 1791 lors du vote des dix premiers amendements qui constituent le Bill of Rights, est posé le principe d'une incompétence absolue des autorités fédérales en matière religieuse.

Thomas Jefferson (1743-1826)

Troisième président des États-Unis, fondateur du parti républicain et rédacteur de la Déclaration d'indépendance, il défendra une interprétation du premier amendement favorable à une stricte séparation de l'Église et de l'État.

Un texte de principe

Si l'article 6 de la Constitution américaine affirme qu'« *aucune condition de religion ne sera jamais requise pour l'accès aux fonctions ou charges publiques sous l'autorité des États-Unis* », c'est surtout le premier amendement qui exprime la conviction des constituants américains en matière de religion : « *Le Congrès ne pourra faire aucune loi ayant pour objet l'établissement d'une religion ou interdisant son libre exercice.* » Dans cette phrase, se trouve exprimée la théorie du « mur de séparation » (lancée par James Burgh et reprise par Thomas Jefferson) qui traduit un principe d'abstention, de stricte neutralité du législateur fédéral. En application de ces dispositions, la puissance publique fédérale s'interdit de subventionner les écoles religieuses.

Une réalité nuancée : un modèle imparfait

Cependant, personne ne concevrait d'inclure les États-Unis dans la maigre cohorte des États laïques. La raison première tient au caractère fédéral du système politique américain. Se fondant sur les dispositions du dixième amendement selon lequel « *les pouvoirs qui ne sont pas délégués aux États-Unis par la Constitution ou refusés par elle aux États, sont conservés par les États ou par le peuple* », la Cour suprême a sous l'autorité du président Marshall affirmé que les droits exprimés dans le Bill of Rights

généalogie de l'idée de séparation | causes de la séparation | loi du 9 décembre 1905

ne concernaient les citoyens qu'en tant que citoyens des États-Unis, et non des États fédérés. Or la plupart des Constitutions des 50 États fédérés se réfèrent explicitement à Dieu soit dans leur préambule, soit au travers des serments que doivent prononcer les titulaires de fonctions publiques. Dans certains

> **Procès du « singe »**
>
> En 1925, la Cour suprême des États-Unis rejette la prétention des créationnistes à voir interdire l'enseignement de la théorie de l'évolution. Toutefois, aujourd'hui encore, un certain nombre d'établissements scolaires continuent de l'exclure de leurs programmes.

cas, cette référence se complète de restrictions apportées à la liberté de conscience qui vont jusqu'à la stigmatisation de l'athéisme. À cela s'ajoute une raison d'ordre culturel. La conception américaine de la séparation se distingue sensiblement de la conception française telle qu'elle s'exprime dans la loi de 1905. Aux États-Unis, l'abstention est posée comme une limite au pouvoir du législateur fédéral afin d'éviter que soient introduites des dispositions qui pourraient faire obstacle au partage, à l'expression et à l'exercice de convictions religieuses. En France, l'abstention est double : celle de l'État est complétée par celle des Églises. La séparation française est une séparation entre des institutions, des forces sociales organisées. La séparation américaine constitue seulement une garantie pour les religions. À cela s'ajoute un phénomène particulièrement marqué d'imprégnation religieuse qui s'exprime avec constance dans les discours des responsables politiques. La formule « *In God we trust* » est inscrite sur tous les billets de banque. Les Églises ont très tôt pris la mesure du champ d'intervention que leur conférait le premier amendement. Au terme d'un combat judiciaire conduit avec ténacité, relayé par un lobbying parlementaire particulièrement efficace, elles sont parvenues à faire reconnaître leur influence, même dans l'espace fédéral. Même si un arrêt de 1962 rappelle l'interdiction des prières dans les écoles publiques, la pratique suivie dans de nombreux districts s'affranchit de cette interdiction.

> L'exemple américain est à la fois décevant et riche d'enseignements. Il démontre que l'affirmation d'un principe de séparation n'est pas, à elle seule, suffisante pour fonder un État laïque.

La laïcisation des institutions

À partir de la Révolution française s'engage un mouvement de laïcisation des institutions.

La laïcisation des fondements du pouvoir

La légitimité du pouvoir perd son fondement religieux. Désormais, c'est dans la nation ou dans le peuple que réside le principe de la souveraineté. Plus d'un millénaire d'histoire s'achève avec la dissolution du mariage mystique entre le roi et la nation. Cela ne veut pas dire que la monarchie elle-même, comme forme de gouvernement, ait disparu. Elle se maintiendra jusqu'en 1792 et Bonaparte en empruntera les formes lors de l'établissement de l'Empire en l'an XII (1804). La Restauration ira plus loin encore en considérant comme illégitimes l'ensemble des pouvoirs qui se sont succédé depuis l'abolition de la royauté. La monarchie de Juillet puis le Second Empire conserveront l'idée d'hérédité du pouvoir. Cependant, en dépit des sacres de Napoléon Bonaparte puis de Charles X, l'abandon de la monarchie de droit divin est un acquis indiscutable de la Révolution française.

Une conception nouvelle de la société

« *Les hommes naissent et demeurent libres et égaux en droits. Les distinctions sociales ne peuvent être fondées que sur l'utilité commune.* » Par ces quelques mots,

l'article 1er de la Déclaration des droits de l'homme et du citoyen, adoptée le 26 août 1789, fixe les bases d'une société nouvelle, qui repose sur l'existence d'individus autonomes tant les uns par rapport aux autres qu'à l'égard de tout pouvoir ou de toute Église. La seule exigence qui leur soit imposée est de respecter

généalogie de l'idée de séparation | causes de la séparation | loi du 9 décembre 1905

la liberté des autres et l'ordre public défini par la loi, elle-même expression de la volonté générale. Finie la société divisée en ordres et en corporations de l'Ancien Régime, au sein de laquelle chacun était, par naissance, assigné à un statut prédéterminé. L'obligation de croire et de croire selon un certain credo est remplacée par la liberté d'opinion et d'expression.

Un garde national enlève un crucifix dans une école de Paris tenue par des religieuses après le décret du 29 mars 1880 de Jules Ferry, qui ordonne la fermeture des établissements scolaires appartenant à des congrégations* non autorisées.

La laïcisation de l'état civil

Depuis la Révolution, la tenue des registres d'état civil ne relève plus de la compétence de l'Église catholique. Le pouvoir religieux y perd la capacité d'officialiser les diverses étapes de la vie de l'individu en conférant à certaines d'entre elles les caractères d'un sacrement. De plus, la laïcisation de l'état civil fait disparaître les discriminations fondées sur des critères religieux. Sous l'Ancien Régime et en dépit des avancées qu'ont représenté l'édit de Nantes (1598) puis l'édit de tolérance (1787), seuls les catholiques avaient la possibilité de faire enregistrer, sans difficultés ni renoncement à leurs croyances, des actes qui restaient des actes religieux. Parallèlement, le mariage devient un simple contrat et le divorce est introduit. Supprimé sous la Restauration en 1816, ce dernier sera réintroduit en 1884, mais dans des conditions moins libérales que sous la Révolution.

La laïcisation de l'enseignement

La question scolaire se pose dès la Révolution sous l'influence de Condorcet puis de Joseph Lakanal. Cependant c'est sous la IIIᵉ République que s'opéreront les avancées les plus significatives, et cela sous l'impulsion de Jules Ferry*. Au travers de trois grands textes, votés en 1881, 1882 et 1886, seront créées une éducation obligatoire ainsi qu'une école publique gratuite et laïque. La formation des consciences constitue un enjeu déterminant pour l'Église et pour la République.

> La laïcisation progressive des institutions provoque un lent mouvement de sécularisation* de la société française et une mise à distance de la religion et du pouvoir de l'Église catholique.

Cléricalisme et anticléricalisme

À partir de la Restauration, l'Église catholique s'efforce de reconquérir son influence ancienne. En réponse, un courant laïque, à la fois républicain et anticlérical, se développe.

La réaction cléricale

Au cours du XIXe siècle, les catholiques militants tâchent de rétablir l'influence de l'Église sur l'État. La Restauration de la monarchie en 1814 et la nouvelle alliance du trône et de l'autel leur donnent le sentiment d'avoir emporté une victoire. Les ultras*, regroupés autour du comte d'Artois, futur Charles X, tentent de revenir sur des mesures à forte portée symbolique comme la laïcisation de l'état civil. S'appuyant sur une littérature politique réactionnaire d'auteurs contre-révolutionnaires comme Joseph de Maistre ou Bonald, l'Église catholique part à la reconquête idéologique des territoires perdus, notamment dans le secteur de l'enseignement. Elle s'appuie sur un mouvement plus large de réaction engagé par la papauté à partir du pontificat de Grégoire XVI (1831-1846), qui va s'amplifier sous celui de Pie IX (1846-1878) pour aboutir à la rédaction en 1864 du *Syllabus*, véritable manifeste de l'obscurantisme. Cette pensée cléricale dispose de relais : Félicité de Lamennais puis, plus tard, Louis Veuillot et son journal *L'Univers*, Félix Dupanloup ainsi que les congrégations* religieuses, notamment les Jésuites puis les Assomptionnistes. Cette réaction cléricale rencontrera des succès politiques. Sous le règne de Charles X sont votés des textes qui démontrent la volonté de revenir sur les acquis de la Révolution comme la loi sur le « milliard des émigrés » qui indemnise nombre de nostalgiques de l'Ancien Régime de la perte de leurs biens, la loi sur le sacrilège

généalogie de l'idée de séparation | causes de la séparation | loi du 9 décembre 1905

La Lanterne
JOURNAL RÉPUBLICAIN
Anti-clérical

5c LE Nº

VOILA L'ENNEMI !

ou la loi sur les congrégations de femmes. Sous la IIᵉ République, la loi Falloux* ouvre à l'enseignement confessionnel une large possibilité de développement. Cette réaction se poursuivra sous le Second Empire puis sous le gouvernement de l'« Ordre moral* ». Son ultime victoire – éphémère, il est vrai – est représentée par la loi du 12 juillet 1875 ouvrant l'université à l'enseignement privé.

Le combat anticlérical

En réponse à cette offensive, les républicains adoptent une attitude clairement anticléricale. À côté d'un anticléricalisme savant qui s'exprime chez des penseurs aussi divers que les historiens Jules Michelet et Edgar Quinet ou le théoricien du socialisme anarchiste Proudhon, se développe un anticléricalisme populaire, prompt à dénoncer le décalage entre le discours et les pratiques, à stigmatiser la soif de pouvoir de la « Congrégation », terme générique qui recouvre à partir de la Restauration les diverses manifestations du cléricalisme*. Le thème des « deux France » puis des « deux jeunesses » s'impose pour dénoncer la tentation résolument contre-révolutionnaire de l'Église. Victor Hugo, Sainte-Beuve, Erckmann-Chatrian, Flaubert au travers du personnage du pharmacien Homais dans *Madame Bovary*, Émile Zola, tantôt dénoncent les dangers du cléricalisme, tantôt défendent les conquêtes de la raison, de l'esprit critique ou de la science. Le positivisme d'Auguste Comte ou d'Émile Littré apparaît comme une réponse à l'offensive cléricale. Béranger, dans ses chansons et ses pamphlets, est l'un des acteurs les plus résolus de ce combat. La célèbre intervention de Gambetta* à la Chambre le 4 mai 1877, « *Le cléricalisme, voilà l'ennemi !* », résume assez bien l'état d'esprit des républicains.

Affiche satirique du journal anticlérical *La Lanterne*, qui fait écho à l'exclamation de Gambetta : « *Le cléricalisme, voilà l'ennemi !* »

L'attitude de l'Église catholique après 1814, le durcissement de ses idées contre-révolutionnaires, son interventionnisme politique contraignent les républicains à adopter une position résolument anticléricale.

Du « ralliement »
à l'affaire Dreyfus

Au début des années 1890,
le « ralliement » de l'Église catholique
à la République semble de nature
à apaiser le conflit des « deux France ».
L'affaire Dreyfus montrera les limites
de cette pacification.

Le « ralliement » de l'Église catholique à la République

Un « *esprit nouveau* », selon la formule de Spuller, ministre des Cultes en 1893, semble inspirer les relations entre l'Église catholique et l'État. « *La grande guerre est finie avec l'Église* », dira Jean Casimir-Perier, président du Conseil au même moment. En vérité, derrière cet « *esprit nouveau* » se dissimule une politique centriste modérée, très en retrait par rapport au programme radical. Cette pause dans le combat anticlérical est en partie justifiée par un changement d'attitude de l'Église. Jusque-là, l'Église catholique a adopté une position systématiquement hostile à la République. Ouvertement ultramontains*, ses responsables ont relayé la pensée antimoderniste de la papauté. Or, le 12 novembre 1890, le cardinal Lavigerie, archevêque d'Alger, prononce un toast en recevant l'état-major de l'escadre d'Alger, dans lequel il déclare que la République n'est pas contraire aux principes de la civilisation chrétienne. Ce revirement sera confirmé, avec quelques réserves il est vrai, par Léon XIII dans son encyclique *Inter innumeras sollicitudines* du 20 février 1892. Aucun enthousiasme n'anime cette politique de ralliement, simplement le constat que la République a gagné et que l'Église a désormais plus à perdre en s'opposant qu'en faisant le choix d'un ralliement de raison.

généalogie de l'idée
de séparation

 causes de
la séparation

 loi du
9 décembre 1905

L'affaire Dreyfus

L'Affaire commence au mois de décembre 1894 lorsque le Conseil de guerre de Paris condamne Alfred Dreyfus, un capitaine de confession juive accusé d'espionnage, à la dégradation et à la déportation à vie, mais n'acquiert une dimension politique que deux ans plus tard. Elle prend un caractère passionnel à compter de janvier 1898 quand Émile Zola adresse au président de la République son « *J'accuse* ». Il s'agit beaucoup plus que d'une simple crise politique. Elle met en jeu des principes moraux et philosophiques fondamentaux. Elle est l'occasion pour les adversaires de la République nationalistes, royalistes et cléricaux de révéler la profondeur de leur aversion pour les valeurs héritées de 1789. La presse catholique, notamment celle qui est entre les mains des Assomptionnistes, se met au service du combat des antidreyfusards avec une virulence antisémite particulièrement vive. *La Croix* et *Le Pèlerin*, entre autres, épousent les thèses défendues par Drumont dans la *Libre Parole* en y ajoutant une touche d'anti-judaïsme catholique. L'« *esprit nouveau* » est mort. La fracture politique entre la République et l'Église n'a jamais semblé aussi irréductible.

Les conséquences de l'affaire Dreyfus

Le réarmement du combat anticlérical, joint à présent à un antimilitarisme républicain, constitue l'une des premières conséquences de l'affaire Dreyfus. L'intensité de l'opposition entre la culture politique issue de la Révolution française, égalitaire, individualiste, laïque et une conception contre-révolutionnaire, hiérarchique, aristocratique, cléricale, traditionaliste et anti-individualiste rend difficile toute réconciliation. Les congrégations* qui ont pris une part active dans le camp antidreyfusard subiront les conséquences de leur engagement après la victoire du bloc républicain que confirmeront les élections de 1902. L'innocence de Dreyfus ne sera définitivement reconnue qu'en 1906.

Les intellectuels

L'affaire Dreyfus marque le début de l'engagement collectif des intellectuels dans la vie politique.

« *L'Affaire rendit à notre pays cet inestimable service de mettre peu à peu en présence et à découvert les forces du passé et les forces de l'avenir, d'un côté l'autoritarisme bourgeois et la théocratie catholique, de l'autre le socialisme et la libre pensée.* »
Anatole France

L'affaire Dreyfus marque une rupture politique majeure dans les relations entre l'Église catholique et la République. Elle constitue le point de départ de la marche vers la séparation.

La loi de 1901 et les congrégations

La loi du 1er juillet 1901, fondatrice de la liberté d'association, a également pour objet l'encadrement juridique des congrégations religieuses. À certains égards, elle prépare la séparation de 1905.

La question des congrégations

Ignorées par le Concordat napoléonien, les congrégations* religieuses, qui ont traversé les turbulences de la Révolution, se trouvent en principe soumises comme toutes les associations aux rigueurs du Code pénal qui réprime le délit de coalition. En réalité, dès 1804, Bonaparte accepte le principe de leur existence en distinguant celles qui sont autorisées et peuvent posséder des biens et celles qui sont simplement tolérées. Sous la Restauration, divers textes législatifs les dotent d'un véritable statut. Les congrégations masculines doivent être autorisées par une loi, les congrégations féminines par décision administrative. Concrètement, les congrégations connaissent un développement considérable. Leur rôle en matière d'enseignement et d'assistance se développe. Surtout, certaines de ces congrégations, comme celle des Assomptionnistes créée en 1850 ou des Jésuites, servent de relais à la propagande cléricale.

Sous la IIIᵉ République, elles croisent le fer contre la laïcisation des institutions. Outre la dimension idéologique de leur action, les congrégations encourent d'autres reproches. Leur organisation fermée, la nature des vœux prononcés

> ### Le nombre des congrégations
> En 1877, les membres du clergé régulier* sont plus nombreux qu'avant la Révolution. On estime à 1 371 le nombre de congrégations existant en 1902 ; elles exercent leur activité dans plus de 20 000 établissements.

généalogie de l'idée de séparation | causes de la séparation | loi du 9 décembre 1905

par leurs membres les soustraient à tout contrôle et méconnaissent le principe de l'autonomie de la volonté proclamé en 1789. Par ailleurs, leur durée indéfinie rend inaliénables les biens qu'elles reçoivent, notamment de la part de leurs membres qui doivent faire vœu de pauvreté. Par cette « mainmorte* », les congrégations se sont constitué un patrimoine considérable.

Les mesures adoptées

Jules Ferry* a tenté en 1880 d'interdire les congrégations comme cela a déjà été fait sous la Révolution. Face à l'opposition du Sénat, il a été contraint de recourir à deux décrets : le premier procède à la dissolution de la Compagnie de Jésus, le second impose aux autres congrégations de solliciter une demande d'autorisation. À défaut, leurs établissements scolaires seront dissous. En 1901, ce sont des solutions de même nature qui sont adoptées. Selon l'article 13 de la loi, « *aucune congrégation religieuse ne peut se former sans une autorisation donnée par la loi qui déterminera les conditions de son fonctionnement* ». Il ajoute que la dissolution d'une congrégation ou la fermeture de ses établissements – essentiellement d'enseignement – peut être prononcée par décret en Conseil des ministres. Aucun établissement d'enseignement ne peut être créé par une congrégation non autorisée. Des dispositions sont prises pour briser le système de la « mainmorte ». Par ailleurs, les congrégations doivent se soumettre à certaines règles essentielles du droit commun des associations comme la liberté contractuelle. Votée à une large majorité, cette loi, et notamment son titre III consacré aux congrégations, sera vécue par l'Église catholique comme une agression. Certains de ses promoteurs issus des rangs radicaux ne cachent pas qu'ils voient en elle le prélude à une prochaine séparation des Églises et de l'État. Le régime de Vichy la videra de l'essentiel de son contenu.

L'article 7

Dans un projet de loi déposé devant le Sénat par Jules Ferry figure un article 7 ainsi rédigé : « *Nul n'est admis à diriger un établissement public ou privé de quelque ordre qu'il soit ni d'y donner l'enseignement s'il appartient à une congrégation non autorisée.* »

La loi du 1er juillet 1901 a permis d'encadrer de façon rigoureuse les congrégations religieuses et de réduire la puissance qu'elles ont acquise dans le domaine de l'enseignement ainsi que leur influence politique, qu'elles ont mise depuis 1815 au service des adversaires des idéaux de 1789.

L'application de la loi de 1901 par Émile Combes

L'affaire des fiches

Ce scandale est provoqué au mois d'octobre 1904 par la révélation de l'établissement, au sein du ministère de la Guerre, de fiches concernant les officiers dont le loyalisme républicain pouvait être mis en doute par leurs attachements cléricaux ou monarchistes. Les renseignements collectés déterminaient l'avancement des militaires concernés.

Isère, 1903 : la Chambre des députés ayant rejeté la demande d'autorisation de leur congrégation, les moines du couvent de la Grande-Chartreuse sont expulsés.

La rigueur avec laquelle Emile Combes décide d'appliquer aux congrégations la loi de 1901 a pour conséquence d'aggraver le conflit entre l'Église catholique et les autorités républicaines.

Le ministère Combes

Conçue par Waldeck-Rousseau* comme un moyen de s'opposer aux « *moines-ligueurs et aux moines d'affaire* », la loi de 1901 est destinée, dans l'esprit de son promoteur, à s'appliquer de façon modérée. En dépit d'une large victoire du bloc républicain aux élections de 1902, Waldeck-Rousseau démissionne et est remplacé par Émile Combes. Le programme de ce dernier est clairement anticlérical. Non seulement il comporte un engagement d'application de la loi de 1901, mais il prévoit encore l'abrogation de la loi Falloux*. À diverses reprises, Combes exprime son souci de réduire l'influence politique de la religion. Le zèle dont il ne cessera de faire preuve connaîtra un certain nombre de débordements dont le plus important sera représenté par l'« affaire des fiches ».

Les établissements en infraction

En apparence, le texte de la loi est d'application simple. Les congrégations* sont autorisées ou ne le sont pas. La réalité, cependant, est plus complexe. Une congrégation autorisée peut posséder des établissements d'enseignement qui, eux, ne le sont pas. La question des établissements ouverts après le 1er juillet 1901 et non autorisés est réglée de façon expéditive par leur fermeture. Alors que

généalogie de l'idée de séparation | causes de la séparation | loi du 9 décembre 19...

Waldeck-Rousseau a admis qu'en vertu du principe de non-rétroactivité de la loi les écoles ouvertes avant la promulgation de cette dernière ont un droit acquis à se maintenir sans décret, Émile Combes décide également de les fermer dans l'attente de leur demande d'autorisation. En dépit des troubles provoqués par l'application de cette politique, Combes, que la majorité parlementaire soutient, reste inflexible.

L'examen des demandes d'autorisation

La situation est différente selon que l'autorisation concerne une congrégation ou un établissement géré par une congrégation déjà autorisée. Dans ce dernier cas, un simple décret (et non une loi) suffit. Autant Émile Combes manifeste de la mansuétude à l'égard des établissements qui remplissent une fonction d'assistance ou de soin, autant se montre-t-il rigoureux à l'encontre des établissements scolaires. Le traitement des demandes d'autorisation des congrégations se révélera plus complexe. Les congrégations masculines, pour leur part, sont regroupées en quatre catégories : enseignantes, prédicantes, commerçantes (ex : les Chartreux) et hospitalières. Le cas des trois premières catégories doit être débattu en premier lieu par la Chambre des députés, celui des congrégations hospitalières par le Sénat. Concrètement, sur une soixantaine de demandes, seules cinq congrégations hospitalières sont autorisées. Le cas des congrégations féminines est traité de façon plus radicale encore puisque aucune des demandes formulées n'est acceptée.

L'impossible abrogation de la loi Falloux

Émile Combes ne parvient pas à obtenir l'abrogation de la loi Falloux. Divers projets sont discutés, certains visant à imposer des conditions de compétence aux personnels des établissements d'enseignement privé. Une autre voie sera finalement choisie avec l'instauration d'une incapacité légale d'enseigner imposée aux congrégations. Tel sera l'objet de la loi du 8 juillet 1904.

« Le million des Chartreux »

Campagne de calomnie, relayée par les adversaires d'Émile Combes, selon laquelle son fils aurait sollicité des Chartreux la somme d'un million de francs pour les sauver de l'interdiction.

La bataille des congrégations se conclut par la victoire des républicains les plus radicaux. Elle a contribué à tendre un peu plus les relations entre la République et le pouvoir pontifical.

Les circonstances immédiates

La remise en cause du Concordat ne figurait pas au programme d'Émile Combes.

C'est un enchaînement de circonstances liées au raidissement de l'attitude du nouveau pape, Pie X, qui va accélérer la marche vers la séparation.

Émile Combes, président du Conseil de 1902 à 1905.

La querelle du nobis nominavit

Selon la conception que l'on se fait du Concordat – contrat entre parties égales ou concession du pape –, la nature du pouvoir de nomination des évêques peut être considérée de façon différente.
Fidèle à une vision contractuelle équilibrée, Émile Combes demande que ne soit pas utilisée dans les bulles d'investiture des évêques la formule *nobis nominavit* mais simplement *nominavit* (« nommé » et non « nommé par nous »).

Une stratégie de harcèlement

La rigueur avec laquelle Émile Combes applique la loi de 1901 aux congrégations* provoque, en riposte, un mouvement de critique des responsables de l'Église catholique. Dès le mois de juillet 1902, l'archevêque de Paris adresse une protestation au président de la République. Le nonce apostolique (l'ambassadeur du pape) sollicite des explications du ministre des Affaires étrangères. Il lui est répondu que la question des congrégations ne relève pas du Concordat. Soixante-quatorze évêques adressent une pétition aux Chambres, comportant des menaces à peine voilées. En réponse à cette initiative parfaitement illégale, Émile Combes fait constater l'abus après avoir consulté le Conseil d'État* et suspend le traitement des cinq évêques qui ont pris l'initiative de la pétition. Un débat s'engage sur les prérogatives respectives du président de la République et du pape en matière de nomination d'évêques. Divers incidents contribuent à alourdir le climat. Le 11 juin 1903, la Chambre des députés décide de constituer une commission chargée d'examiner la séparation des Églises et de l'État.

Le voyage d'Émile Loubet à Rome

En 1870, date de l'entrée des troupes italiennes dans Rome, l'unification italienne s'est achevée et le pouvoir temporel du pape sur ses États et la ville de Rome a été anéanti. Désormais celui-ci se considère comme

généalogie de l'idée de séparation | causes de la séparation | loi du 9 décembre 19

prisonnier au Vatican. Toute visite d'un chef d'État au roi d'Italie, *a fortiori* s'il est issu d'un pays catholique, est considérée comme une offense faite au pape. L'élection de Pie X, pape résolument conservateur, ne facilite pas la situation. Après de longues négociations, le président de la République française se rend à Rome fin avril 1904. La protestation du Vatican, qui s'estime victime d'un affront diplomatique, est immédiate. En réponse, la France décide de rappeler son ambassadeur auprès du Vatican.

La rupture des relations diplomatiques
Une nouvelle étape dans le conflit est franchie lorsque le Vatican décide de solliciter la démission des évêques de Laval et de Dijon, qui font partie de l'infime minorité des prélats républicains. En réponse à la démission de l'évêque de Laval le 30 juin 1904, le gouvernement français tire les conséquences de l'attitude du Vatican, qui vide l'esprit du Concordat, en décidant de rompre les relations diplomatiques avec lui.

Le discours d'Auxerre
Le 4 septembre 1904, Émile Combes prononce un important discours à Auxerre. Une formule en donne la tonalité : « *Le pouvoir religieux a déchiré le Concordat* […]. *Il n'entre pas dans mes intentions de le rapiécer. La seule voie restée libre aux deux pouvoirs en conflit, c'est la voie ouverte aux époux mal assortis : le divorce, et de préférence le divorce par consentement mutuel.* » Il trace par ailleurs les contours du paysage religieux qu'il souhaite voir s'organiser après la séparation. L'idée d'une nécessaire pacification est évoquée. L'écho du discours est immédiat. La Ligue de l'enseignement*, le parti radical et radical-socialiste, le Grand Orient de France et la Libre Pensée* apportent leur soutien au président du Conseil. La commission parlementaire créée en 1903 peut se mettre au travail.

L'échiquier politique français au début du XXe siècle

Les élections législatives de 1902, qui font suite à l'affaire Dreyfus, voient s'opposer deux blocs : celui de la réaction antidreyfusarde et celui de la défense républicaine. La victoire de ce dernier, composé de progressistes issus de l'Alliance républicaine et démocratique, de radicaux et radicaux-socialistes et de socialistes, est sans nuances (350 députés contre 250). Très laïque, cette nouvelle majorité s'attachera à défendre et à prolonger l'œuvre entreprise par Jules Ferry*.

À compter de la rupture des relations diplomatiques entre la France et le Vatican, consécutive à une stratégie mutuelle de harcèlement, la séparation s'impose de façon inéluctable.

D'une laïcité de combat à une logique de pacification

La séparation étant devenue inéluctable, il reste à la mettre en œuvre. Engagée dans un esprit de combat contre l'Église catholique, sa réalisation est marquée par une logique de pacification.

Un consensus républicain

Inscrite dès 1869 dans le programme radical, la séparation des Églises et de l'État a suscité le dépôt de nombreux projets d'inspiration différente. À compter de la rupture des relations diplomatiques avec le Vatican, la plupart des responsables politiques qui apportent leur soutien au gouvernement semblent acquis à cette solution. Tel est le cas de Ferdinand Buisson*, de Jean Jaurès ou de Georges Clemenceau*.

L'avant-projet Briand

Il s'agit d'un texte de synthèse reprenant des éléments qui figuraient dans les divers projets déjà déposés. Le titre I précise que l'État assure la liberté de conscience et garantit la liberté des cultes ; cependant, il ne protège, ne salarie ni ne reconnaît aucun culte et ne met à leur disposition aucun local. L'ambassade auprès du Vatican est supprimée de même que la direction des cultes. L'État retrouve la propriété des biens qui lui appartenaient, les autres doivent être dévolus à des associations cultuelles qui peuvent former des unions nationales. L'usage des locaux affectés au culte est payant. Les ministres du culte âgés sont pensionnés sous certaines conditions. Concernant la police des cultes, les cérémonies religieuses sont soumises aux mêmes règles que les réunions publiques.

L'article 17 du projet Combes

Des sanctions pénales et des mesures de confiscation des édifices religieux sont prévues à l'encontre des ministres du culte qui se rendraient coupables d'actes compromettant l'honneur des citoyens ou qui apparaîtraient comme des injures ou des diffamations.

Le projet d'Émile Combes

Le 10 novembre 1904, Émile Combes dépose un projet bien plus bref que celui élaboré par Briand. En dépit de certaines concessions, il apparaît comme plus radical. On parlera à son égard de « *nouvelle Constitution civile du clergé* ». Le texte maintient la direction des cultes et reste muet sur l'ambassade du Vatican. Pour ce qui est de l'usage des lieux de culte et des bâtiments d'habitation, les premiers sont laissés en jouissance gratuite pendant 2 ans puis loués pour des périodes de 10 ans renouvelables ; les seconds sont loués de façon permanente. Les pensions des ministres du culte sont servies à partir de 40 ans et 15 ans de service. Cependant, les associations cultuelles ne peuvent se constituer que dans les anciennes circonscriptions ecclésiastiques et leur union est limitée au cadre du département. Les étrangers sont exclus des fonctions de ministres du culte, qui sont eux-mêmes astreints à une obligation de résidence dans le département. L'attribution des biens utiles au culte sera faite par décret en Conseil d'État* ou par arrêté préfectoral. Enfin sont interdites les manifestations publiques et les processions à l'exception des funérailles. Un arsenal répressif complète le texte.

Le retour vers une logique de conciliation

La démission de Combes permet au débat de reprendre dans une ambiance d'apaisement. Aristide Briand, aidé par Louis Méjan (un protestant) et Paul Grunebaum-Ballin (un juif), et soutenu par Jaurès, reprend les principes qui figuraient dans son avant-projet et organise un système de dévolution des biens antérieurement détenus ou utilisés par les « *établissements publics du culte** » à des associations cultuelles, qui « *doivent se conformer aux règles générales du culte dont elles se proposent d'assurer l'exercice* ». Façon élégante de reconnaître aux évêques une autorité sur les associations catholiques dont la création est prévue. Les dispositions répressives sont sensiblement atténuées.

La position de Jaurès

« *La paix sera possible, soit que le catholicisme s'enfermant dans cet isolement intransigeant y languisse, y périsse* [...]. *Ou bien il se réveillera, il saluera le soleil qui se lève sur le monde nouveau, il s'y réchauffera, il y apportera aussi la bonté de sa tradition propre. [...] C'est là que sera le secret de la paix, et non pas dans les équivoques,* [...] *mais dans la pleine et entière affirmation des doctrines de tous sous le droit commun d'une liberté incontestée.* » **Discours à la Chambre des députés, le 13 novembre 1906.**

Sous l'impulsion déterminante d'Aristide Briand, qui ne veut pas d'une loi de combat, la séparation des Églises et de l'État est mise en œuvre dans un esprit qui paraît acceptable pour les catholiques.

Les hommes

Trois hommes ont joué un rôle déterminant dans le processus qui devait se conclure par l'adoption de la loi du 9 décembre 1905 : Émile Combes, Aristide Briand et Jean Jaurès.

Émile Combes

Le « petit père Combes » (1835-1921) commence sa vie politique comme un notable de province. Élu maire de Pons (Charente) en 1878, puis conseiller général, il ne débute sa carrière nationale qu'en 1885 avec son élection au Sénat, dont il sera élu président en 1894. En 1895, il est nommé ministre de l'Instruction publique et des Cultes, seule et brève expérience ministérielle avant qu'il n'accède en 1902 à la présidence du Conseil. Rien dans sa formation initiale ne paraissait le destiner à jouer le rôle politique qui fut le sien. Séminariste à Castres et à Albi, il se destine à la prêtrise. Docteur ès lettres, il a consacré ses thèses à Abélard, saint Bernard et Thomas d'Aquin. Il est cependant, en tant que président du Conseil, l'acteur résolu de la politique qui conduira au vote de la loi de 1905. C'est à tort qu'on lui attribue la paternité complète du texte. Lorsqu'il est voté, Combes n'est plus président du Conseil. Certes, c'est à son initiative qu'intervient la rupture des relations diplomatiques entre la France et le Vatican qui rend la séparation inéluctable. Toutefois, sa conception des relations entre l'Église catholique et l'État l'incline à préférer une logique de contrôle à une logique de liberté.

Portrait
d'Aristide Briand

Aristide Briand

Après une brève carrière d'avocat puis de journaliste politique, Aristide Briand (1862-1932) est élu député en 1902. Nommé rapporteur de la commission parlementaire chargée de préparer la loi de séparation, il sera l'infatigable négociateur qui, partant du projet de Combes, cherchera à éviter que le texte final ne soit « *braqué sur l'Église comme un revolver* ». Il sera qualifié par certains de « *socialiste opportuniste* » ou, selon le mot de Clemenceau*, de « *socialiste papalin* ». Très logiquement, après la démission du gouvernement Combes, le nouveau président du Conseil, Rouvier, lui offre le ministère de l'Instruction publique et des Cultes. Sous la pression de Jaurès, Briand refuse. Quelques mois plus tard, il acceptera d'occuper le poste dans le cabinet Sarrien. Après avoir porté à bout de bras la loi de séparation, Briand contribuera à définir en 1907 et 1908 les modalités qui permettront au culte catholique de s'adapter aux exigences de la séparation. Aristide Briand, qui a été 11 fois président du Conseil, qui a exercé 26 fois des fonctions ministérielles, est resté célèbre pour son rôle dans la définition et la conduite de la politique étrangère de la France après 1918. Partisan d'une politique de paix et de réconciliation, il fut l'un des promoteurs de l'idée européenne.

> « *Il fallait que la séparation ne donnât pas le signal des luttes confessionnelles ; il fallait que la loi se montrât respectueuse de toutes les croyances et leur laissât la faculté de s'exprimer librement. Nous l'avons faite de telle sorte que l'Église ne puisse invoquer aucun prétexte pour s'insurger contre le nouvel état de choses qui va se substituer au régime concordataire.* » **A. Briand**

Jean Jaurès

Le grand leader socialiste qu'est Jean Jaurès (1859-1914) aura dans le débat qui précédera l'adoption de la loi une position sensiblement plus modérée que d'autres parlementaires socialistes. En tant que responsable de la Délégation des gauches qui, au sein de la Chambre, assure la cohésion de la majorité parlementaire issue des élections de 1902, il occupe une place essentielle. En étroite entente avec Briand, il rédigera l'article 4 du texte qui organise la dévolution aux associations cultuelles des biens affectés à l'exercice du culte qui étaient la propriété des établissements publics du culte*.

Rendue inéluctable par Combes, qui voulait initialement plus contrôler que séparer, la séparation des Églises et de l'État s'est opérée dans un esprit qui doit beaucoup à Aristide Briand et Jean Jaurès.

Le texte

Les 44 articles de la loi du 9 décembre 1905 instituant la séparation des Églises et de l'État constituent le socle de l'organisation laïque de la République.

Les pensions des ministres du culte

Selon l'article 11 de la loi de 1905, les ministres du culte âgés de plus de 60 ans à la date de la loi se voient accorder une pension.

Les principes

Les principes tiennent dans les deux premiers articles : « *La République assure la liberté de conscience. Elle garantit le libre exercice des cultes sous les seules restrictions édictées ci-après dans l'intérêt de l'ordre public* » (article 1er). « *La République ne reconnaît, ne salarie ni ne subventionne aucun culte. En conséquence, à partir du 1er janvier qui suivra la promulgation de la présente loi, seront supprimées des budgets de l'État, des départements et des communes, toutes dépenses relatives à l'exercice des cultes* » (article 2). La liberté de conscience et la garantie par l'État du libre exercice des cultes sont ainsi posées comme des préalables. L'État est désormais neutre à l'égard des cultes et *a fortiori* des Églises. Plus de cultes reconnus* disposant d'un statut de service public, plus de privilèges au bénéfice de telle ou telle Église, mais l'affirmation d'un principe d'égalité devant la loi et d'une égale soumission aux exigences de l'ordre public. Le bouleversement opéré est considérable. L'affirmation du principe de non-reconnaissance signe la fin de l'« établissement » de l'Église catholique. Par ailleurs, la loi de 1905 met un terme à la pratique d'intervention du pouvoir politique dans les affaires religieuses. La non-reconnaissance se traduit par une double abstention : celle de l'État à intervenir dans le domaine religieux, celle des Églises à intervenir dans l'univers du politique.

Les mesures d'application

Déconstruire l'édifice du Concordat, remettre en cause les habitudes créées par plusieurs siècles d'histoire exigent l'adoption de dispositions qui, dans le respect du principe de séparation, permettent

généalogie de l'idée de séparation
causes de la séparation

loi du 9 décembre 1905

à la liberté du culte de s'exercer concrètement. La première question à résoudre concerne le statut des biens affectés au culte et qui étaient gérés jusqu'alors par des établissements publics du culte*. Selon l'article 4 de la loi, dans le délai d'un an, ces biens doivent être transférés à des associations cultuelles qui se conformeront aux « *règles d'organisation générale du culte dont elles se proposent d'assurer l'exercice* ». Ces édifices, qui restent en qualité de biens nationaux* la propriété de l'État, des départements ou des communes (article 12), sont mis gratuitement à la disposition des associations cultuelles amenées à se constituer (article 13). Ceux qui ont été construits ou acquis par des établissements publics du culte deviennent la propriété des associations cultuelles. Le droit des réunions pour la célébration du culte est affirmé de même que le droit de manifestations extérieures, sous réserve qu'elles ne portent pas atteinte à l'ordre public. Le principe de non-reconnaissance est tempéré par la possibilité de financer sur fonds publics des aumôneries*. Il est à l'inverse renforcé par l'interdiction de toute apposition d'emblèmes religieux sur les monuments ou emplacements publics à l'exception des édifices du culte, des cimetières ou des musées (article 28). Obligation est faite aux ministres du culte, sous peine de sanctions pénales, de s'abstenir de tout propos diffamatoire ou injurieux à l'égard d'un citoyen chargé d'un service public ou de tout discours ou écrit appelant à la résistance à l'égard des autorités légitimes (articles 34 et 35) (*voir* pp. 60-61).

Texte de principe, qui affirme la liberté de conscience et garantit le libre exercice des cultes, la loi de 1905 comporte également tout un dispositif pratique destiné à organiser de façon pragmatique les conséquences de la séparation.

La Ligue de l'enseignement* et la séparation

« *Nous sommes attachés, nous démocrates et républicains, à la Séparation parce qu'elle est la conséquence nécessaire, naturelle, logique de l'œuvre de laïcisation commencée d'abord par l'école et qui doit se continuer par la laïcisation de la société française tout entière.* »
Arthur Dessoye, président de la Ligue, congrès de 1907.

L'attitude des divers cultes

Si les cultes minoritaires, protestants et juif, acceptent le texte de 1905, l'Église catholique oppose une forte résistance à son application.

La réaction des catholiques

La réaction de la hiérarchie catholique aux dispositions de la loi de 1905 est sans nuances. La condamnation est globale et affecte tant les principes que les modalités de mise en œuvre. Dans une première encyclique du 11 février 1906 (*Vehementer nos*), le pape Pie X condamne la séparation. Dans l'encyclique du 10 août 1906 (*Gravissimo officii*), le Vatican s'oppose à la constitution d'associations cultuelles considérées comme incompatibles avec la structure hiérarchique de l'Église catholique. Le soupçon pèse de voir ces associations provoquer une démocratisation de l'Église. L'épiscopat français accepte, non sans quelques réticences, de se conformer à la position du Vatican. Les associations cultuelles, l'un des éléments essentiels du dispositif de la loi de 1905, se trouvent remises en cause par le culte majoritaire. Logiquement, cet état de fait aurait dû conduire à l'interruption de l'exercice du culte catholique, mais ce ne fut pas le cas. En dépit de l'opposition du Vatican, un certain nombre d'associations cultuelles se constituent à l'initiative de quelques curés. Ils sont condamnés par le Vatican et rencontrent l'opposition des curés qui assuraient la desserte de la paroisse avant 1905. D'inévitables conflits d'occupation des églises concernées par ces dissidences naissent. Le Conseil d'État* les tranchera dans un sens favorable aux ministres du culte restés fidèles à Rome !

La jurisprudence sur les occupations d'églises

C'est en se fondant sur les termes de l'article 4 de la loi de 1905 selon lequel les associations cultuelles doivent se conformer aux « *règles d'organisation générale du culte* » que le Conseil d'État a donné raison au clergé qui respectait l'interdit pontifical. Il considère que « *la soumission à la hiérarchie ecclésiastique constituait une composante de l'organisation du culte* ».

---

généalogie de l'idée de séparation | causes de la séparation | loi du 9 décembre 1905

Les inventaires

La dissolution des établissements publics du culte* impose la réalisation d'inventaires par l'administration des domaines de leurs biens mobiliers et immobiliers avant la dévolution de ces derniers aux associations cultuelles. La rédaction assez maladroite de la

Les inventaires des biens des édifices du culte suscitent des querelles, à l'instar de cette bagarre devant l'église Sainte-Clotilde à Paris en février 1906.

circulaire qui définit les modalités de ces inventaires, jointe au zèle militant d'une partie des catholiques soutenus par la Ligue d'action française royaliste, provoquera divers incidents. Ces derniers ont lieu dans des régions où est implanté un catholicisme intransigeant, notamment en Flandre, en Bretagne, en Vendée, dans le Pays basque ou à Paris. Dans d'autres régions, en revanche, les inventaires se déroulent sans difficulté, comme dans le Limousin ou en Bourgogne. Le 6 mars 1906, les inventaires font une première victime. Soucieux de ne pas répondre à la provocation des ultras* soutenus par le Vatican, Clemenceau* ordonne aux fonctionnaires de l'enregistrement de ne procéder aux inventaires que dans les lieux où aucune agitation n'est à craindre.

L'attitude des autres cultes

Juifs et protestants acceptent sans difficulté la nouvelle définition des relations entre l'État et les Églises. Des associations cultuelles sont constituées et l'inventaire des biens se fait sans drames. Pour ces cultes, la séparation et la liberté qu'elle induit parachèvent le long chemin vers l'égalité de droit qui a été emprunté à partir de la révolution de 1789. En revanche, dans un premier temps, personne ne songe que des cultes, autres que ceux antérieurement reconnus, pourront s'inscrire dans le paysage religieux français.

> Le refus des catholiques, inspiré et entretenu par le Vatican, d'accepter la loi de séparation contribue dans un premier temps à gommer le caractère profondément pacificateur que lui ont donné ses rédacteurs.

La mise en œuvre de la séparation

Les associations cultuelles doivent être constituées dans un délai d'un an après la promulgation de la loi de 1905. L'opposition de l'Église catholique à leur constitution conduira à aménager la loi pour résoudre la question de l'affectation des biens.

Les associations cultuelles

Ayant pour objet exclusif de subvenir aux frais, à l'entretien ou à l'exercice d'un culte, les associations cultuelles doivent se constituer afin de recevoir la propriété des édifices et des biens qui appartenaient aux anciens établissements publics du culte* créés en exécution des dispositions concordataires. Les biens qui n'ont pas été réclamés par une association cultuelle dans le délai de 2 ans à compter de la promulgation de la loi, ou dans lesquels aucune cérémonie du culte n'a eu lieu pendant un délai d'un an avant l'intervention de la loi, peuvent faire l'objet d'une désaffectation par décret. Les associations cultuelles conservent la charge de l'entretien ainsi que de tous les frais et charges afférents aux immeubles concernés et aux meubles qui les garnissent. Elles se voient reconnaître un certain nombre de droits et d'avantages. À l'inverse des associations de la loi de 1901, elles disposent de la possibilité de recevoir des dons et legs exonérés de droits de mutation. Normalement, elles ne peuvent recevoir de subventions de l'État ou des collectivités locales. Cependant, depuis une loi du 25 décembre 1942, ne sont pas considérées comme des subventions, et sont donc autorisées, les contributions à l'entretien des édifices du culte versées par les collectivités qui en sont propriétaires.

Les ministres du culte

En ce qui les concerne, la conséquence première de la séparation est l'interruption de leur rémunération par l'État. Par ailleurs, ils se trouvent soumis à un certain nombre d'obligations ou d'incapacités comme l'interdiction d'exercer des fonctions dans l'enseignement public.

généalogie de l'idée de séparation | causes de la séparation

loi du 9 décembre 19

L'affectation des biens, propriétés publiques, nécessaires à l'exercice du culte

Il existe d'autres édifices du culte, principalement catholiques : ceux qui, constituant des « biens nationaux* », sont devenus propriété de l'État à la Révolution ou ceux qui, construits après la mise en application du Concordat, sont la propriété de l'État ou des départements. Les concernant, l'article 13 de la loi de 1905 précise qu'ils seront mis gratuitement, ainsi que les objets mobiliers les garnissant, à la disposition des associations cultuelles destinées à remplacer les anciens établissements publics du culte.

La situation du culte catholique

Le refus des catholiques d'admettre tant la séparation que ses conséquences juridiques contraint à imaginer des dispositions particulières. Une application rigoureuse de la loi aurait conduit, en l'absence de constitution d'une association cultuelle, à procéder à un transfert des biens par décret. Dans l'attente, ils doivent être placés sous séquestre. Soucieux de ne pas aggraver le conflit avec l'Église catholique, Aristide Briand fait voter la loi du 2 janvier 1907 qui précise qu'à défaut de constitution d'une association cultuelle « *les édifices affectés à l'exercice public du culte continueront à être laissés à la disposition des fidèles et des ministres du culte pour la pratique de leur religion* ». Une loi du 13 avril 1908 apporte un complément de solution en attribuant aux communes la propriété des églises provenant des anciens établissements du culte. Les communes sont également chargées d'en assurer l'entretien. L'Église catholique retrouve l'usage légal des biens utiles à l'exercice du culte, mais, n'en étant pas propriétaire, elle se voit ainsi exonérée de l'obligation de pourvoir à leur entretien.

En refusant de « jouer le jeu » de la loi de 1905, l'Église catholique se voit consentir un avantage par rapport aux trois autres anciens cultes reconnus* : l'entretien par les communes de la totalité des édifices du culte construits avant 1905.

Les premiers aménagements

Le rétablissement des relations diplomatiques entre la France et le Vatican a favorisé la recherche de solutions à la crise créée par le refus de l'Église catholique de se plier aux exigences de la loi de 1905.

La reprise de contact

La solidarité des tranchées au cours de la Première Guerre mondiale, l'Union nationale qui permet, sous la conduite d'Aristide Briand, de voir cohabiter au sein d'un même gouvernement Émile Combes, Léon Bourgeois, Charles Freycinet, Jules Guesde et Denys Cochin, ont émoussé les passions. La guerre terminée, les enjeux ont changé de nature et, pour beaucoup, la bataille laïque est terminée, d'autres urgences s'imposant désormais. C'est à l'occasion de la canonisation de Jeanne d'Arc en mai 1920 qu'a lieu la première reprise de contact entre le gouvernement français et le Vatican. Signe d'une réelle volonté d'apaisement, le pape accepte la démission des deux évêques allemands de Strasbourg et de Metz et permet au gouvernement français de nommer, en application de la procédure concordataire, deux évêques français. Finalement, les relations diplomatiques sont formellement rétablies en 1921.

Les associations « diocésaines »

L'amélioration des relations rend concevable la recherche d'une solution aux difficultés liées à l'absence d'associations cultuelles chargées d'organiser le culte catholique. À compter de 1921, une négociation s'engage afin de parvenir à l'adoption d'un statut type d'association qui, sans méconnaître l'esprit de la loi de 1905, doit permettre de lever un certain nombre des préventions qui ont conduit l'Église

« Canonico-légales »
C'est ainsi qu'ont été parfois dénommées les associations diocésaines.

généalogie de l'idée de séparation | causes de la séparation | loi du 9 décembre 190

catholique à se défier du système des associations cultuelles (*voir* pp. 30-31). Le 7 mai 1923, le président du Conseil Raymond Poincaré reçoit du nonce apostolique un projet qui,

(*voir* pp. 30-31).

soumis préalablement à une commission de juristes, donne satisfaction aux deux parties. Il s'agit d'associations cultuelles créées dans chaque diocèse et placées sous la présidence de droit de l'évêque. Il est par ailleurs précisé que ces associations doivent « *être en communion avec le Saint-Siège* ». Soumis au Conseil d'État*, le projet de statut est considéré par ce dernier comme conforme aux dispositions de la loi de 1905. Pour lever les ultimes préventions de la hiérarchie catholique, Poincaré précisera que ces associations n'auront pour objet que de « *subvenir aux frais et à l'entretien du culte catholique* », sans pouvoir se mêler de son exercice, ce qui constitue un recul par rapport aux dispositions de l'article 18 de la loi de 1905. Finalement, par l'encyclique *Maximam gravissimamque* du 18 janvier 1924, le pape Pie XI donne son aval au système laborieusement mis en place qui dissipe le risque de démocratisation ou de schisme.

Une modalité qui s'est perpétuée

Entre 1924 et 1926, chaque diocèse français sera doté de son association. Depuis lors, le système s'est maintenu, sans changement réel. Toutefois, il est apparu que les précautions de rédaction puis d'interprétation ne garantissaient pas l'Église catholique contre les conséquences de schismes éventuels. On le voit bien dans les années 1970 lorsque se constitue, à l'initiative de Mgr Lefebvre, une association cultuelle « Fraternité sacerdotale Saint Pie X » qui prétend assurer l'exercice du culte catholique romain selon son propre rite.

> **Querelles immobilières**
>
> À la suite du schisme de l'Église traditionaliste de Mgr Lefebvre, ses fidèles occupent diverses églises. Le juge administratif a toujours tranché en faveur du curé desservant désigné par l'évêque fidèle à Rome.

> Après la conclusion des accords de 1923-1924, l'Église catholique se trouve enfin dotée d'une structure juridique lui permettant de subvenir aux frais et d'assurer l'entretien de son culte : l'association « diocésaine ».

Une application incomplète

Limitée dans son application au territoire métropolitain de la République tel qu'il existait en 1905, la loi de séparation ne concerne pas les trois départements de l'Alsace-Moselle et est restée inappliquée dans les colonies puis dans des départements et territoires d'outre-mer.

Le cas de l'Alsace-Moselle

Lorsque est votée la loi de 1905, les deux départements alsaciens et la Moselle sont depuis 1871 sous souveraineté allemande. Le Concordat napoléonien, les Articles organiques et l'ensemble des dépositions antérieures à 1871, complétés de façon accessoire par certaines dispositions de droit allemand, continuent d'y régir les relations entre les Églises et l'État. Lors du retour à la France de ces trois départements en 1918, il est décidé d'abord de façon transitoire par une loi du 17 octobre 1919, puis de façon définitive, par une loi du 1er juin 1924, que la situation restera en l'état. Plus précisément, la question des relations entre les Églises et l'État, comme un certain nombre d'autres, reste soumise au « droit local ». Les engagements pris par Édouard Herriot et les partis composant le Cartel des gauches en 1924 de soumettre ces départements au régime de la séparation ne résistent pas aux oppositions locales. Le Conseil d'État*, dans un avis rendu le 24 janvier 1925, admet la compatibilité du statut local avec le principe de l'indivisibilité républicaine. L'ordonnance du 15 septembre 1944 rétablissant la légalité républicaine a confirmé cette situation. Concrètement, seuls les quatre cultes

La nomination des évêques de Strasbourg et de Metz

Ils sont nommés par décret du président de la République puis reçoivent leur institution canonique par le pape. Après cela, le décret de nomination est publié au *Journal officiel*.

généalogie de l'idée de séparation | causes de la séparation | loi du 9 décembre 1905

soumis au régime concordataire (catholique, luthérien, calviniste, israélite) sont reconnus, leurs ministres rétribués par l'État. Les autres sont en principe soumis pour leur exercice public à une autorisation par décret en Conseil d'État.

Les colonies puis l'outre-mer

Les colonies françaises existant lors de la conclusion du Concordat ne sont pas soumises à ses dispositions. Diverses mesures réglementaires inspirées d'un esprit concordataire sont adoptées comme l'ordonnance de Charles X du 27 août 1827, applicable à la Guyane, qui place le culte catholique sous la double autorité du gouverneur et d'un supérieur ecclésiastique et organise son financement public. Cette singularité statutaire subsiste encore. Pour les colonies conquises ultérieurement, de même que pour les anciennes colonies dont certaines sont devenues départements ou territoires d'outre-mer, leur situation au regard de la loi de 1905 est diverse. L'article 43-2 de la loi de 1905 prévoit que le gouvernement déterminera les conditions de son application en Algérie et dans les colonies. Entre 1907 et 1913, quatre décrets qui concernent l'Algérie, les Antilles et la Réunion, Madagascar et le Cameroun sont pris. En réalité, particulièrement en Algérie, les dispositions arrêtées vident de son contenu le principe de séparation, le gouvernement ne voulant pas notamment laisser le culte musulman sans contrôle. Il faut attendre 1939 et les « décrets Mandel » pour qu'un début d'harmonisation s'opère, mais hors du droit commun de la loi de 1905. Aujourd'hui, la Martinique, la Guadeloupe et la Réunion sont soumises à la loi de 1905. En Guyane, le catholicisme est le seul culte reconnu*. À Saint-Pierre-et-Miquelon, en Nouvelle-Calédonie et en Polynésie subsiste un système inspiré des décrets Mandel. À Mayotte, la religion musulmane constitue la base du statut des personnes.

Décrets Mandel
Il s'agit des deux décrets pris par le ministre des Colonies les 16 janvier et 6 décembre 1939, qui confient à des missions religieuses, inspirées du modèle des associations diocésaines de 1923, la gestion des biens utiles à l'exercice du culte.

Pour des raisons historiques ou politiques particulières, la loi de 1905 reste encore aujourd'hui inappliquée à certains territoires de la République.

Une ignorance tempérée

En dépit de l'article 2 de la loi de 1905, il est des situations dans lesquelles la République reconnaît les cultes, d'autres où elle en salarie des membres, d'autres enfin où elle les subventionne.

Les limites de la non-reconnaissance

Le refus de reconnaître les cultes n'a jamais induit une ignorance corrélative du fait religieux. La République « *assure la liberté de conscience* » et « *garantit le libre exercice des cultes* ». Il s'agit là de libertés fondamentales protégées contre toute atteinte. La séparation n'a pas fait disparaître la religion, telle n'était d'ailleurs pas sa finalité. Elle a fait passer la réglementation des cultes de l'univers du droit public dans celui du droit privé. Par ailleurs, la loi de 1905 a expressément réservé la possibilité de création d'aumôneries* au sein des établissements publics d'enseignement, de soins ou pénitentiaires. De plus, elle ne craint pas de faire appel à l'ordre juridique interne de chaque culte. Tel est le sens des dispositions de l'article 4 qui évoque la nécessité pour les associations cultuelles de se conformer « *aux règles d'organisation générale du culte dont elles se proposent d'assurer l'exercice* ». Cette interprétation est confirmée par la jurisprudence puisqu'elle s'attache à vérifier, en présence d'une contestation sur la qualité d'une association culturelle, « *la doctrine et les dogmes de chaque religion, la discipline, la hiérarchie et l'organisation générale de chaque culte* ». Plus largement existe une police des cultes exercée par le ministre de l'Intérieur. La mise en place par la loi d'un mode d'organisation des cultes induit nécessairement leur reconnaissance en tant que réalité sociale. En vérité, ne pas reconnaître se réduit le plus souvent pour l'État à ne pas accorder de privilèges particuliers à un culte déterminé.

Des droits particuliers

Les associations cultuelles disposent d'une capacité juridique semblable à celle dont bénéficient les associations reconnues d'utilité publique. Elles ont la possibilité de recevoir des dons et legs avec exonération des droits de mutation.

Les exonérations fiscales

Les lieux de culte ouverts au public sont exonérés sous certaines conditions de la taxe foncière.

généalogie de l'idée de séparation | causes de la séparation | loi du 9 décembre 1905

Les survivances d'un « salariat »

Si le maintien d'une rémunération publique des ministres des cultes reconnus* dans les deux départements alsaciens, en Moselle et en outre-mer (Guyane, Saint-Pierre-et-Miquelon et Mayotte) constitue une survivance d'un autre temps, la prise en charge par l'État du traitement des aumôniers militaires ou civils s'inscrit clairement dans le prolongement de l'application de la loi de 1905 (il s'agit d'assurer à tous le libre exercice des cultes). Dans un ordre d'idées un peu différent, on peut citer également la prise en charge, sur fonds publics, du traitement des enseignants des établissements privés confessionnels sous contrat. Enfin, il existe un système d'indemnité de gardiennage au profit des ministres du culte auxquels sont confiées les églises appartenant aux communes.

Des subventions déguisées

En assurant la charge de l'entretien des édifices du culte appartenant à l'État ou aux collectivités publiques, la puissance publique contribue de façon non négligeable au financement des cultes concernés. De la même façon, l'entretien des édifices du culte classés monuments historiques constitue un avantage conséquent. En outre, il arrive que les collectivités publiques mettent gratuitement à la disposition des cultes des terrains utiles à l'édification de bâtiments affectés à leur exercice. Enfin, par le biais de déductions fiscales ou de l'exonération de certains impôts, l'État ou les collectivités publiques contribuent au financement des divers cultes.

Restauration
de Notre-Dame
de Paris
en 1996.

Que l'État ne reconnaisse pas les cultes n'implique pas qu'il les ignore totalement. En dépit de la privatisation du culte qu'a déterminée la loi de 1905, des liens subsistent entre l'État et les Églises. Des contrôles étatiques ont été instaurés, des avantages publics consentis.

Une remise en cause idéologique : Vichy

Résolument antirépublicain, clairement antisémite, le régime collaborationniste de Vichy offre à la frange la plus conservatrice du catholicisme un certain nombre de revanches.

Vichy et l'Église

La défaite de 1940 et l'accession au pouvoir du maréchal Pétain créent les conditions de l'établissement entre l'Église catholique et l'État d'une entente qui n'a connu aucun équivalent depuis la Restauration ou depuis l'Ordre moral* qui s'est imposé après l'écrasement de la Commune de Paris en 1871. Les revendications des catholiques traditionalistes sont présentées comme autant de réparations destinées à compenser les abandons que l'Église a été contrainte de consentir à mesure que s'est imposée la République. Pour eux, la séparation a été une spoliation et la lutte contre les congrégations*,

Statue de la République de la mairie du IXe arrondissement de Paris descellée en juillet 1942 sous le régime de Vichy, qui abolit la République et ses principes de liberté, d'égalité et de fraternité.

de même que la laïcisation de l'enseignement qui l'a précédée, une injustice. La hiérarchie religieuse adhère largement aux valeurs défendues par le nouveau régime. Évoquant la devise « *Travail, Famille, Patrie* », le cardinal Gerlier, archevêque de Lyon, déclare : « *Ces trois mots sont les nôtres.* » L'école va constituer un champ privilégié de remise en cause de l'œuvre laïque de la IIIe République. Il s'agit de mettre un terme à l'action « *déloyale et dangereuse* » des instituteurs. Jacques Chevalier, ministre de l'Éducation, veut en finir avec « *l'école sans Dieu* » en rétablissant dès décembre 1940 l'évocation des « *devoirs envers Dieu* » et en instaurant le

généalogie de l'idée de séparation | causes de la séparation | loi du 9 décembre 1905

6 janvier 1941 un enseignement religieux facultatif dans les établissements d'enseignement public. Comme il ne s'agit plus de former des citoyens éclairés et égaux, mais de s'adresser aux membres de communautés différentes, les programmes ne sont pas les mêmes en ville et à la campagne, pour les garçons et pour les filles.

La politique conduite

La politique menée se prévaut d'une inspiration chrétienne, qui, par exemple, transparaît dans l'image de la famille. Toute une série de mesures concrètes viendront le confirmer. En premier lieu, on ne saurait ignorer l'incidence religieuse du racisme antisémite mis en œuvre dès la loi du 3 octobre 1940 et renforcé par celle du 2 juin 1941. Les textes stigmatisent la « race » juive en ajoutant, comme élément d'identification, la pratique de la religion juive. Vichy s'affranchit ainsi du principe de non-reconnaissance des cultes stipulé par la loi de 1905. Il n'existe plus d'égalité dans le libre exercice des cultes. En outre, afin de répondre aux demandes de financement public formulées par les responsables catholiques en faveur de l'enseignement privé confessionnel, la loi du 2 novembre 1941 autorise les départements à accorder des subventions pour l'éducation au bénéfice des établissements privés d'enseignement. Par ailleurs, les dispositions de la loi Combes de 1904, qui interdisaient d'enseignement les membres des congrégations, et celles de la loi de 1901, qui soumettaient les congrégations à un régime d'autorisation, sont pour les premières abrogées, pour les secondes assouplies. Les biens nécessaires à l'exercice du culte catholique qui n'ont pas encore été dévolus, selon les modalités fixées par la loi de 1905 ou des textes qui l'ont aménagée, sont rendus le 15 février 1941 aux associations diocésaines. Ainsi, l'association diocésaine de Tarbes reçoit la grotte de Lourdes. Des contacts seront même pris entre l'État français et le Vatican afin d'envisager l'établissement d'un nouveau concordat*. Face à la réticence du Vatican, le projet n'aboutira pas.

L'antisémitisme de Vichy

« *Est regardé comme Juif : [...] Celui ou celle, appartenant ou non à une confession quelconque, qui est issu d'au moins trois grands-parents de race juive [...]. Est regardé comme étant de race juive le grand-parent ayant appartenu à la religion juive [...]. La non-appartenance à la religion juive est établie par la preuve de l'adhésion à l'une des autres confessions reconnues par l'État avant la loi du 9 décembre 1905.* »

Article 1er de la loi du 2 juin 1941.

Même si le régime de Vichy ne remet pas en cause la séparation des Églises et de l'État, il apparaît attaché à anéantir nombre de conquêtes laïques.

Une acceptation qui se généralise après 1945

Un climat de réconciliation se développe au lendemain de la Seconde Guerre mondiale sous l'effet des solidarités nées au sein de la Résistance. La séparation et, au-delà, l'idée de laïcité font consensus. Cependant, de nouveaux champs d'opposition apparaissent.

Après 1945, la laïcité devient constitutionnelle

Au lendemain de la Libération, la question des relations entre les Églises et l'État apparaît pacifiée. Les combats conduits en commun dans les rangs de la Résistance entre ceux qui croient au ciel et ceux qui n'y croient pas ont renforcé la fraternité des tranchées qui, au cours du premier conflit mondial, a constitué une première étape d'apaisement entre les deux France. La laïcité, jusque-là soupçonnée, principalement par l'Église catholique, d'être l'instrument d'un combat antireligieux, fait l'objet d'une acceptation sans réelles réserves. D'abord la laïcité acquiert valeur constitutionnelle. En effet, la Constitution de 1946 précise que la France est une République laïque, formule qui sera reprise dans la Constitution de 1958, laquelle ajoute que la République « *respecte toutes les croyances* ». Les divers cultes, pour leur part, acceptent les règles du jeu définies au début du siècle. Pour les protestants et les juifs, l'acceptation était déjà ancienne. Pour les catholiques, elle s'exprimera notamment lors de l'Assemblée des évêques et cardinaux de France le 13 novembre 1945 ; ils admettent la laïcité comme « *souveraine autonomie de l'État* ». En vérité, derrière ce consensus sur les mots, de nouveaux débats se profilent autour, principalement, de l'école.

« *La Résistance* [...] *a donné à beaucoup d'entre nous de travailler pour la France en plein accord avec les catholiques. Des compréhensions sont nées, des amitiés ont pris corps.* »
Albert Bayet,
président
de la Ligue
de l'enseignement*

généalogie de l'idée de séparation | causes de la séparation | loi du 9 décembre 1905

Le retour de la question scolaire

La question scolaire a précédé et en partie préparé la marche vers la séparation, elle ressurgit après 1945 sous une forme inédite : celle du financement

> « La laïcité de l'État signifie son indépendance vis-à-vis de toute autorité qui n'est pas reconnue par l'ensemble de la nation afin de lui permettre d'être impartial vis-à-vis de chaque membre de la communauté nationale et de ne pas favoriser telle ou telle partie de la nation. »
> **Maurice Schumann, ministre MRP (Mouvement républicain populaire)**

public de l'école privée. Si le préambule de la Constitution de 1946 affirme tout à la fois le droit à l'instruction et le fait que « *l'organisation de l'enseignement public gratuit et laïque à tous les degrés* » est un devoir pour l'État, le régime de Vichy a accordé des subventions à l'école privée dans une logique de remise en cause de l'école publique. Les milieux catholiques souhaitent le maintien de ces subventions. Ce à quoi le camp laïque rétorque : « *À école publique, fonds publics, à école privée, fonds privés.* » En 1948, les décrets Poinso-Chapuis ouvrent une brèche avec l'instauration d'une aide destinée à favoriser la scolarisation des enfants des familles nécessiteuses, même dans l'enseignement privé. Deux lois sont adoptées en 1951, les lois Marie et Barangé : la première étend aux élèves du privé le système des bourses d'État, la seconde prévoit l'attribution d'une allocation mensuelle par élève, sans distinction de système d'enseignement. À l'inverse de la guerre scolaire qui s'était ouverte à la fin du XIXe siècle, ce sont désormais les laïques qui éprouvent le sentiment d'un recul. Des négociations s'engagent, notamment sous le gouvernement Guy Mollet en 1956-1957. Finalement, c'est la loi Debré du 31 décembre 1959 qui met en place un système contractuel qui assure aux établissements privés un financement public en contrepartie de quoi ils participent au service public mais en conservant leur caractère propre. Loin de clore le débat, ce texte alimentera pour plusieurs décennies une opposition frontale des laïques et des défenseurs de l'école privée, chaque camp essayant de se mobiliser comme en 1984 ou 1994.

> Le principe d'une République laïque est inscrit dans la Constitution de 1946 comme dans celle de 1958.

Nouveaux enjeux, nouveaux débats

L'acceptation générale du caractère laïque des institutions républicaines ne s'est pas traduite par une adhésion sans nuances à une conception unique de la laïcité.

Manifestation à Paris le 26 avril 1984 des défenseurs de l'école laïque.

De nouvelles interrogations

Un certain nombre de facteurs vont conduire à rouvrir le débat. Certains sont de nature politique. Si la loi Debré a suscité une ample mobilisation du camp laïque, il est apparu très vite que la coexistence de deux systèmes scolaires se trouve durablement inscrite dans le paysage français. En sus des avantages qui lui ont été initialement consentis, l'enseignement privé profitera aussi de ceux que lui concède, en 1977, la loi Guermeur. L'espoir de voir se constituer un grand service laïque et unifié de l'Éducation nationale, comme l'a proposé Alain Savary, s'éteint quand le projet est retiré par le président de la République François Mitterrand sous la pression de manifestations organisées par les défenseurs de l'école privée. Nombre d'organisations laïques vivront cet épisode comme une défaite d'autant plus douloureuse que le thème de la liberté, jusque-là associé au combat laïque, est devenu l'argument des partisans de l'école privée. En outre, la société française devient de plus en plus multiculturelle. Certains sociologues comme Alain Touraine ou Michel Wieviorka s'interrogent sur les modalités d'expression des singularités dans l'espace démocratique. Cette réflexion est par ailleurs éclairée par ceux que l'on appelle les « philosophes du soupçon » ou de la déconstruction, comme Michel Foucault, Jacques Derrida ou Jean-François

généalogie de l'idée de séparation | causes de la séparation | loi du 9 décembre 190

Lyotard qui contestent l'universalisme des « Lumières ». À cela s'ajoute la question de la place de la religion musulmane révélée par le problème du voile islamique.

La reprise du débat

Lors de l'Assemblée des évêques à Lourdes en 1987, l'Église catholique affirme vouloir « *redéfinir le cadre institutionnel de la laïcité* », tandis que la Fédération protestante de France défend l'idée d'une laïcité « ouverte ». Sans esprit de système, la Ligue de l'enseignement* engage de son côté, à partir de son congrès de Lille en 1986, un dialogue ouvert avec divers interlocuteurs, pour certains issus de l'univers des religions. Il ne s'agit pas d'abandonner quoi que ce soit des acquis antérieurs, mais de porter un regard lucide sur une pratique déjà ancienne de la séparation en n'ignorant rien de l'évolution tant de la société que des mentalités. Aux « Assises de la laïcité » organisées par le Grand Orient de France, qui défend un maintien sans adaptation du modèle laïque français, répondront les « Assises de la laïcité plurielle » tenues à l'initiative de la Ligue de l'enseignement. Parallèlement se développe un discours républicain clairement attaché aux vertus de l'intégration individuelle, défenseur de l'universalisme de la raison et résolument hostile à toute forme de reconnaissance de communautarisme. Ce courant est notamment incarné par des auteurs comme Régis Debray, Catherine Kintzler ou Dominique Schnapper.

Le débat n'est pas clos

La laïcité a profondément gagné à l'engagement d'un tel débat qui l'a fait sortir d'un prétendu archaïsme, dans lequel le tenaient ses adversaires. La réunion en 2003, à l'initiative du président de l'Assemblée nationale Jean-Louis Debré, puis du président de la République Jacques Chirac, de deux commissions chargées de réfléchir sur la question de la laïcité est significative de l'actualité du concept et de la nécessité de s'accorder sur le rôle qu'elle doit jouer sans rien abandonner des progrès qu'elle a permis.

Épithètes

Comme dans toutes les périodes de débat, les qualificatifs s'amoncellent comme autant de prises de distance critiques à l'égard du modèle laïque des origines fondé sur une privatisation du religieux. « Nouvelle laïcité », « laïcité plurielle », etc. : toutes ces formules, qui traduisent un appel au débat, déconcertent. Ce n'est pas la laïcité qui est nouvelle ou plurielle, mais les problèmes posés ou la société.

Bien qu'admise par l'essentiel des forces qui structurent la société française, la laïcité reste aujourd'hui encore l'objet de débats.

Quelques débats récurrents

Un siècle après l'adoption de la loi
de 1905, un certain nombre de problèmes
posés par les conditions de son application
n'ont toujours pas été résolus.

Fêtes religieuses

Le calendrier
français porte
l'empreinte d'une
histoire dominée
par une culture
catholique (fêtes
religieuses, repos
dominical). Les
cultes minoritaires
ou les nouveaux
cultes peuvent
s'estimer discriminés.
Intégrer de
nouvelles fêtes
religieuses serait
une erreur
qui contribuerait
à « cultualiser »
le calendrier.
Mieux vaut réfléchir
à un régime
d'autorisation
d'absences
à l'occasion
de fêtes religieuses
importantes.

Les territoires oubliés

Le maintien en dehors du champ d'application de
la loi de 1905 du Haut-Rhin, du Bas-Rhin, de la
Moselle ainsi que de territoires d'outre-mer constitue une singularité qui résulte de raisons historiques
connues (*voir* pp. 36-37). Alors que se sont éteintes
les passions qu'a suscitées la loi de séparation, vécue
bien injustement par les catholiques notamment
comme une spoliation doublée d'un risque d'ingé-
rence, la persistance de ces singularités peut étonner.
Certes, en Alsace-Moselle, les quatre cultes reconnus* y trouvent avantage. Cependant, on peut considérer que le maintien de la prise en charge par l'État
de la rémunération des ministres du culte établi en
compensation de la récupération par l'État des biens
nationaux* lors de la Révolution française n'a plus
de légitimité ni de justification. Le maintien du statu
quo après 1918, confirmé en 1945, s'inscrivait dans
un contexte particulier, celui de la fin de l'occupation allemande. Certains considéraient qu'il ne
fallait pas que le rattachement à la France s'accom-
pagne du traumatisme qu'aurait pu constituer une
remise en cause immédiate du régime concordataire
des cultes. L'on peut ajouter que la Chambre
« bleu horizon » élue en 1919 n'avait pas pour

Le régime scolaire en Alsace-Moselle
Les écoles y sont confessionnelles en droit : les cours
de religion font partie de l'enseignement obligatoire
même si des dispenses peuvent être sollicitées.

---

généalogie de l'idée
de séparation

causes de
la séparation

loi du
9 décembre 190*

souci principal de déplaire à l'Église catholique. Aujourd'hui, la persistance de ces singularités, porteuse d'avantages qui ne relèvent pas toujours de considérations spirituelles, fait figure d'anachronisme juridique. De plus, les particularités du système scolaire en Alsace-Moselle contreviennent aux exigences des lois laïques. Reste que le problème n'est pas facile à résoudre. Toutefois, le principe de l'indivisibilité républicaine exige que la question, pour dérangeante qu'elle soit, puisse être enfin clairement posée et résolue.

Le statut des édifices du culte devenus biens nationaux

Ils sont considérés comme faisant partie du domaine public de l'État, des départements ou des communes qui en sont propriétaires.

La question du régime des biens

L'on a parfois dit que les cultes qui ont accepté d'appliquer sans réserve la loi de 1905 et de constituer des associations cultuelles ont finalement bénéficié d'un traitement moins favorable que celui de l'Église catholique. Cela est en partie vrai et concerne le patrimoine immobilier affecté au culte construit par les établissements publics du culte* créés après le Concordat. Les cultes protestants et juif en ont acquis la propriété ; en contrepartie, ils ont dû en assumer l'entretien, alors que par les lois de 1907 et 1908, l'Église catholique a vu ses édifices du culte transférés aux communes avec l'assurance qu'ils sont mis « *à la disposition des fidèles et des ministres du culte pour la pratique de leur religion* » (*voir* pp. 32-33). L'avantage consenti s'est révélé particulièrement important. D'une part, ces édifices du culte deviennent des dépendances du domaine public affectées légalement au culte catholique. D'autre part, les frais d'entretien sont mis à la charge des communes. Cette situation a conduit le pasteur de Clermont à solliciter, au nom de la Fédération protestante de France, une reconsidération partielle de la loi de 1905 afin de faire disparaître ce facteur d'inégalité entre les divers cultes. Il s'agit là, il est vrai, d'un débat qui concerne les seuls anciens cultes reconnus.

Des questions qui se sont posées dès les premières années de la mise en application de la loi de 1905, tels le régime scolaire, la rémunération des ministres du culte en Alsace-Moselle ou l'entretien des édifices du culte, ne sont pas encore totalement résolues.

Un piège de la non-reconnaissance : les sectes

Le refus de reconnaître les cultes posé par la loi de 1905, joint à l'affirmation de la liberté de conscience, a eu pour corollaire l'impossibilité de donner une définition juridique du phénomène de la croyance, notamment dans son expression sectaire.

Loi du 18 décembre 1998

Ce texte renforce le contrôle de l'obligation scolaire afin de soustraire les mineurs à l'emprise de sectes.

Une réalité complexe

L'intensité de la mobilisation que suscite le phénomène sectaire n'a d'égale que la difficulté d'en circonscrire l'exacte réalité. S'agit-il de dénoncer les opinions ou les convictions qui les structurent ? De contester un mode de fonctionnement fondé sur l'obéissance à un gourou ? De réprimer des atteintes aux biens ou aux personnes ? Domine essentiellement le sentiment des dangers que représente cette exploitation, souvent à des fins criminelles, de la faiblesse de certaines personnes et de leur quête inassouvie de sens. Les formules de « *déstabilisation mentale* » ou de « *manœuvres de déstabilisation psychologique* » décrivent assez bien ce que recouvre la réalité sectaire, mais l'on perçoit très vite la difficulté à donner un contenu juridique précis à ces comportements et l'obstacle concret que peut représenter l'exigence du respect de la liberté de conscience. La loi About-Picard a tenté au mois de juin 2001 de donner une traduction pénale du délit de manipulation mentale, mais son application reste malaisée.

La recherche d'une respectabilité religieuse

Faisant leur l'adage selon lequel « *une religion, c'est une secte qui a réussi* », les plus importantes d'entre elles, comme l'Église de scientologie ou les Témoins de Jéhovah, tentent de s'approprier les instruments juridiques d'organisation des cultes. À cet égard,

Combien ?

En 1995, le rapport Guyard-Gest identifie 173 sectes.

généalogie de l'idée de séparation | causes de la séparation | loi du 9 décembre 1905

les associations cultuelles sont l'objet de toute leur attention. Leur stratégie obéit à un double souci. Le premier, prosaïque, vise à obtenir les avantages financiers et fiscaux attachés au statut d'association cultuelle. Le second, plus subtil, s'inscrit dans une stratégie de conquête de respectabilité. Après s'être longtemps heurtée comme les autres sectes aux pouvoirs publics et aux tribunaux qui lui refusaient le droit d'accéder au statut d'association cultuelle, une association locale des Témoins de Jéhovah a vu sa demande acceptée par le Conseil d'État* au mois de juin 2000. Se référant à la Convention européenne de sauvegarde des droits de l'homme et des libertés fondamentales, les sectes sont devenues des habituées de la Cour européenne des droits de l'homme, à laquelle elles demandent de sanctionner les atteintes à la liberté de conscience dont elles s'estiment victimes.

Manifestation des scientologues devant le palais de justice de Marseille le 21 septembre 1999, durant le procès de sept des leurs. Cinq accusés seront condamnés pour escroquerie.

Sanctionner sans nécessairement reconnaître

Comme il s'interdit de reconnaître les religions, l'État ne peut définir les sectes en invoquant la ressemblance plus ou moins grande que celles-ci pourraient manifester ou revendiquer avec les religions. C'est la conséquence obligée du principe de laïcité. Il ne saurait ainsi admettre une sorte de délit d'exercice illégal de la religion. Cependant, cette absence d'identification juridique ne désarme pas totalement l'État. Le problème du phénomène sectaire peut se ramener à une question de respect de l'ordre public pour l'État. Aussi, plutôt que de s'attacher à rechercher ce que sont les sectes, il importe d'abord de s'intéresser à ce qu'elles font, d'assurer une prévention organisée des risques que leur présence fait peser et de réprimer sans faiblesse les infractions qu'elles commettent.

Bien que l'interdiction de reconnaissance des cultes empêche l'État de définir ce qu'est une secte, la République n'est pas totalement désarmée face à cette utilisation criminelle de la croyance religieuse.

Le sort des nouveaux cultes

La loi de 1905 a organisé la séparation des Églises et de l'État en fonction du paysage religieux existant au moment de son adoption et tel qu'il avait été façonné par la logique concordataire qui reconnaissait quatre cultes : la religion catholique, le judaïsme et les deux cultes protestants. Depuis, la réalité a évolué.

L'organisation du culte musulman en France

Au terme de longues discussions engagées à l'initiative de Jean-Pierre Chevènement en 1999 et conclues par Nicolas Sarkozy fin 2002, les diverses composantes de la communauté musulmane ont accepté de se doter d'une instance représentative, le Conseil français du culte musulman. Les membres de cette nouvelle instance présidée par Dalil Boubakeur, recteur de la mosquée de Paris, ont été élus au mois d'avril 2003.

L'émergence de nouveaux cultes

La position de monopole qu'a longtemps occupée l'Église catholique a masqué l'existence d'autres croyances ou pratiques religieuses. Il faut attendre la fin de la Seconde Guerre mondiale, la décolonisation et l'importante immigration économique qui s'est ensuivie pour que de nouvelles pratiques religieuses s'imposent dans le paysage religieux français. Plus l'intégration des populations issues des immigrations récentes s'opère, plus celles-ci revendiquent la possibilité d'exercer leur religion. Les religions nouvelles ne sont plus seulement celles pratiquées par des étrangers, mais elles deviennent également de plus en plus le fait de personnes de nationalité française. Ainsi peut-on être français et musulman ou français et bouddhiste.

Une visibilité problématique

Très vite, le débat s'est focalisé sur l'islam. Il est vrai que le nombre de ses pratiquants, de même que celui des populations pouvant se prévaloir d'une appartenance culturelle à l'islam, tend à en faire la deuxième religion de France. De plus, l'existence de diverses représentations de l'islam a incité à le considérer comme différent par essence des autres monothéismes. Dans le discours officiel, il lui a été fait reproche d'être rebelle à toute sécularisation* et donc, par principe, à toute aptitude à se couler dans le moule séparatiste qui caractérise le modèle laïque français. Implicitement, ce qui est en cause, ce sont un passé colonial mal assumé et le fait que l'islam soit une religion transplantée. L'influence de considérations de politique internationale tend à brouiller encore davantage une perception sereine de l'islam. Trop souvent, c'est en termes de sécurité intérieure, éventuellement de diplomatie, qu'est posée la question de la place de l'islam dans la République, rarement en termes d'égalité. La question de la singularité de l'islam est devenue plus vive encore lorsque s'est posée, à partir de 1989, celle du port du voile islamique par de jeunes élèves au sein d'établissements scolaires.

Les signes d'appartenance religieuse

Le débat sur le port du voile à l'école est vif. Faut-il interdire ? Tolérer dans certaines limites ? Pour éviter que la question ne se réduise à la gestion d'une certaine forme de singularité musulmane, il a été décidé de l'englober dans celle, plus vaste, des signes d'appartenance religieuse.

Poser la question de l'égalité des cultes

En 1905, chacun des cultes reconnus* s'est vu affecter le patrimoine mobilier et immobilier constitué au cours de son histoire. À l'inverse, les cultes qui n'étaient pas reconnus ou dont le développement s'est opéré essentiellement après 1905, comme l'islam, dépendent des contributions de leurs fidèles. L'égalité qu'il peut revendiquer avec les autres cultes vient se heurter à une évidente inégalité de moyens. Le temps est venu de permettre à l'islam, et plus largement aux nouveaux cultes, d'accéder aux facilités juridiques qu'offre la loi de 1905, notamment par la constitution d'associations cultuelles. L'on peut également concevoir que les adaptations de la loi de 1905 que l'État a admises à l'égard des anciens cultes reconnus puissent s'appliquer aux nouveaux afin, par exemple, de faciliter la construction d'édifices du culte affectés à ces religions nouvellement implantées.

> Le développement de nouveaux cultes a suscité de vives réactions et révélé un certain nombre d'insuffisances pratiques du dispositif mis en place en 1905.

Les contraintes extérieures : l'Europe

La France, en sa qualité de membre du Conseil de l'Europe et de l'Union européenne, doit rester attentive aux conséquences de ses engagements sur le mode d'organisation des relations Églises/État.

Le modèle laïque français : une exception

À ce jour, la France est le seul État de l'Union européenne et du Conseil de l'Europe où est réalisée une séparation effective des Églises et de l'État.

Le Conseil de l'Europe : l'affirmation de la liberté religieuse

Créé en 1949, le Conseil de l'Europe s'est attaché principalement à définir puis à garantir les droits de l'homme. Tel est l'objet de la Convention européenne de sauvegarde des droits de l'homme et des libertés fondamentales. Parmi ces droits, figure « *la liberté de pensée, de conscience et de religion* » (article 9), qui implique la faculté de changer de religion ainsi que celle de la manifester individuellement et collectivement. Cette disposition ne soulèverait pas de difficultés particulières si la jurisprudence de la Cour européenne des droits de l'homme ne donnait parfois le sentiment de doter la liberté de croyance religieuse de garanties plus fortes que la liberté d'expression d'autres convictions. Par ailleurs, on ne peut qu'être troublé par le fait que ce soit le plus souvent des sectes ou des mouvements intégristes qui saisissent les instances du Conseil de l'Europe en arguant que l'article 9 a été bafoué à leur égard.

L'Union européenne : la question de « l'héritage religieux »

Si le traité de Rome (1957), qui a créé la CEE, ne comporte aucune disposition concernant les relations entre les Églises et les États membres ou entre les Églises et les autorités communautaires, à partir

généalogie de l'idée de séparation | causes de la séparation | loi du 9 décembre 1905

du traité de Maastricht (1992) et de la création de l'Union européenne, un certain nombre de principes politiques comme la liberté, la démocratie, le respect des droits de l'homme et l'État de droit seront affirmés.

Cependant, lors de la négociation du traité d'Amsterdam (1997), le Vatican a émis le souhait de voir reconnaître le rôle spécifique des Églises. Les États membres décident de ne pas répondre à cette demande et établissent une déclaration annexée au traité qui précise que « *l'Union respecte et ne préjuge pas le statut dont bénéficient, en vertu du droit national, les Églises et les associations ou communautés religieuses dans les États membres* ». La question rebondit en 2000, à l'occasion de l'élaboration de la Charte des droits fondamentaux de l'Union européenne. Dans sa rédaction initiale, son préambule fait référence à l'« *héritage culturel, humaniste et religieux* » de l'Europe. À la demande de la France, la formule est remplacée par la mention de « *son patrimoine spirituel et moral* ». Le débat n'est pas clos pour autant. Le projet de traité constitutionnel élaboré en 2003 précise dans son préambule que ses dispositions s'inspirent des « *héritages culturels, religieux et humanistes de l'Europe* ». Son article 51 reprend les termes de la déclaration jointe au traité d'Amsterdam et ajoute : « *Reconnaissant leur identité et leur contribution spécifique, l'Union maintient un dialogue ouvert, transparent et régulier, avec ces Églises et organisations.* » Or cette formule, qui est déjà difficilement compatible avec les dispositions de la loi de 1905, n'a pas semblé suffisante à un certain nombre d'États, dont la Pologne, qui ont demandé l'inscription dans le texte d'une référence plus claire à Dieu et à l'héritage chrétien de l'Europe. Cette revendication a retardé l'adoption du texte, finalement opérée par le Conseil européen le 18 juin 2004. Reste à le soumettre à ratification.

Bien que la question des relations entre les Églises et l'État ne relève pas de la compétence des autorités communautaires, des évolutions en cours font craindre une possible remise en cause du système mis en place en France par la loi de 1905.

Les contraintes extérieures : le monde

La mondialisation, qui détermine une érosion progressive du cadre de l'État-nation, au sein duquel s'est élaboré le modèle laïque français, jointe au multiculturalisme des sociétés modernes, suscite l'émergence problématique de nouvelles revendications identitaires.

Le service public scolaire et l'OMC

L'Organisation mondiale du commerce considère que l'enseignement est un service marchand, soumis à la concurrence. L'admission d'une telle conviction remettrait en cause le statut de service public dont dispose l'éducation en France et, au-delà, son caractère laïque.

L'émergence d'identités communautaires

L'État-nation, au sein duquel s'est développé en France le processus de laïcisation de la société et des institutions, renvoie à une conception des relations entre l'individu et la collectivité nationale caractéristique de la modernité. Des individus libres et égaux en droits peuvent, par leur raison, se donner les instruments d'une compréhension du monde et construire un lien politique indépendant de leurs appartenances sociales, religieuses, linguistiques ou culturelles. Un tel pacte politique est garanti par l'État, puissance souveraine et régulatrice de l'ordre public. Le processus de mondialisation, destructeur des anciens repères, a provoqué, par un mouvement naturel de compensation, la recherche d'identités de substitution, consolatrices ou agressives, qui s'alimentent à des références religieuses ou culturelles. Les sociologues parlent d'un phénomène d'« ethnicisation » du lien social. Certains analystes ont proposé de reconnaître ces identités et de les pourvoir de droits collectifs. Mais une telle solution justifie et légitime une vision communautariste de la société qui aurait pour conséquence d'assigner à chacun un statut dépendant de son appartenance à un groupe particulier et de remettre en question la possibilité, pour chacun, de réélaborer en permanence ses stratégies identitaires ainsi que l'égalité en droits des individus. Même si ce phénomène ne met pas directement en cause le mode juridique d'organisation des relations entre les Églises et l'État, il est de nature à en ébranler les fondements sociaux. Ce phénomène détermine par ailleurs la remise en cause de la distinction entre espace public et espace privé qui semblait caractériser le modèle laïque français. L'affirmation d'une égalité en droits de tous les cultes, sous réserve que ces derniers respectent les contraintes de l'ordre public, a été considérée comme la manifestation d'un cantonnement de la religion dans l'espace privé. Si, à première vue, cette affirmation paraît rendre compte du principe de non-reconnaissance posé par la loi de 1905, la réalité exige un effort complémentaire d'analyse, notamment pour tenir compte de l'émergence de revendications identitaires, pour certaines à fondement religieux. Force est de constater que ceux qui s'en réclament participent au débat public à partir des convictions qu'ils ont élaborées dans leur univers d'appartenance. Le nier, au nom d'une étanchéité de l'espace public, peut conduire à de graves déconvenues.

Le religieux ignore les frontières

Par nature, le phénomène religieux dispose d'une dimension transnationale. L'ultramontanisme* de l'Église catholique en est la manifestation la plus connue. L'existence d'une communauté des croyants pour l'islam relève d'une logique de même nature. La dimension prosélyte et missionnaire de la plupart des religions le confirme : le cadre étatique ne limite que rarement l'expression du sentiment religieux. Cela explique en partie la réticence de l'Église catholique à admettre en 1905 les modalités concrètes de la séparation. Aujourd'hui encore, les responsables des Églises ne se privent pas de donner leur sentiment sur le contenu des législations nationales.

> Si le système laïque français dispose d'une antériorité historique qui en a fait un modèle, il importe de rester vigilant aux remises en cause que le processus de mondialisation pourrait entraîner.

Un modèle ou une exception ?

Les principes exprimés dans les deux premiers articles de la loi de 1905 constituent le socle de l'organisation laïque de la République française. Cette dernière présente un certain nombre de traits dominants qui ont pu conduire à en faire un modèle.

Les caractères du modèle laïque français

La loi de 1905 a eu pour effet principal de mettre un terme au statut de service public dont disposaient certains cultes et qui constituait une forme d'héritage du statut de religion d'État dont le catholicisme a longtemps bénéficié. De façon complémentaire, elle confirme la liberté de conscience et l'élargit au libre exercice des cultes en affirmant leur égalité en droits (*voir* pp. 28-29). Plus de logique contractuelle comme celle qui prévalait dans le cadre du Concordat. Plus de logique de contrôle d'inspiration gallicane* telle qu'elle résultait de la Constitution civile du clergé ainsi que du projet de séparation envisagé par Émile Combes. Simplement l'affirmation d'une neutralité de l'État à l'égard des cultes, complétée de l'interdiction faite aux cultes, dans leur exercice public, d'intervenir dans le champ du politique, et d'une garantie publique de la liberté de conscience et de l'expression des convictions de chacun. Cependant, réduire le modèle laïque français aux seules dispositions juridiques qui l'organisent ne suffit pas. La laïcisation des institutions est soutenue par une progressive sécularisation* des comportements sociaux,

---

Laïcité et service public

La neutralité de l'État vis-à-vis des cultes a fortement influencé la notion française de service public. Il est notamment admis que tant dans le recrutement des fonctionnaires que dans l'action conduite par les pouvoirs publics à l'égard des usagers, les convictions religieuses ne doivent jamais être prises en compte ou affichées.

---

généalogie de l'idée de séparation | causes de la séparation | loi du 9 décembre 190

qui prend racine dans la transformation des fondements de l'organisation sociale opérée lors de la Révolution et notamment dans l'affirmation de la primauté de l'individu, considéré comme égal en droits à ses semblables. Plus de distinctions fondées sur des appartenances, des privilèges, mais une égale aptitude de tous les êtres humains à faire un usage libre des droits qui leur sont attribués par naissance et qu'ils peuvent opposer tant à l'État qu'à toute autre autorité, fût-elle religieuse.

Une exception et un modèle

La séparation des Églises et de l'État, si elle constitue une condition nécessaire à l'existence d'un système laïque, n'est pas nécessairement suffisante. Certains exemples étrangers le démontrent (*voir* pp. 10-11). Ainsi, si la Constitution portugaise de 1976 comporte un article 41 qui, à l'imitation de la loi de 1905, affirme la liberté de conscience et ajoute que « *les Églises et communautés religieuses sont séparées de l'État* », une telle disposition n'empêche pas le concordat* signé entre Salazar et le Vatican de continuer de s'appliquer et la société portugaise de conserver une forte empreinte religieuse. La Constitution de l'Irlande, parsemée de considérations religieuses, précise en même temps que l'État « *promet de ne doter aucune religion* ». Cela démontre la nécessité de distinguer le contenu de la loi de ses conditions d'élaboration et de son application. À cet égard, l'exemple français constitue à la fois une exception et un modèle. Le texte de 1905 est la conséquence logique des circonstances qui ont déterminé son adoption. Ses dispositions confirment et approfondissent l'évolution antérieure tant de la société que du droit. Son application, mesurée mais sans concession sur l'essentiel, a permis d'en faire accepter les principes, même par ceux qui, initialement, manifestaient la plus grande réticence à son sujet.

La laïcité turque
La législation laïque d'inspiration résolument moderniste, imposée par Mustafa Kemal entre 1922 et 1924, ne doit sa permanence qu'à la vigilance de l'armée et à l'acceptation d'une infirmité démocratique. Il ne peut y avoir de laïcité concevable en l'absence de démocratie.

Si la laïcité française a acquis les vertus d'un modèle, elle le doit autant à la qualité des dispositions juridiques qui l'organisent qu'aux conditions de son élaboration qui ont permis à la société française d'en intégrer les principes.

Faut-il réécrire la loi de 1905 ?

Article L 141-5-1 du Code de l'éducation résultant de la loi du 15 mars 2004

« Dans les écoles, les collèges et les lycées publics, le port de signes ou tenues par lesquels les élèves manifestent ostensiblement une appartenance religieuse est interdit. »

Un siècle d'application de la loi de 1905 a permis d'effacer, au prix de quelques accommodements, les oppositions que son adoption et sa mise en œuvre avaient suscitées. Les principes qu'elle a permis de dégager sont admis par tous. Cela ne signifie pas que tous les débats soient clos.

La question du port de signes religieux à l'école

Les principes posés par la loi de 1905, qu'il s'agisse de l'affirmation et de la garantie de la liberté de conscience et de libre exercice des cultes ou leur non-reconnaissance, font l'objet d'une acceptation unanime. Toutefois, cela n'a pas empêché l'émergence de nouveaux débats articulés essentiellement autour du port de signes d'appartenance religieuse. Dès 1989, la question du port du voile au sein des établissements scolaires par certaines jeunes filles de confession musulmane a suscité la saisie du Conseil d'État* qui a souligné dans un avis rendu le 27 septembre 1989 que si l'enseignement devait être dispensé dans le respect de *« la neutralité des programmes et des enseignants »*, *« la liberté de conscience des élèves »* devait également

Le 11 décembre 2003, Bernard Stasi remet à Jacques Chirac le rapport de sa commission sur la laïcité.

être respectée. Dès lors, le port du voile ne pouvait être considéré comme violant le principe de laïcité que si son port avait un caractère ostentatoire ou soutenait une démarche prosélyte. En revanche, toute atteinte à l'ordre public scolaire, de même que toute demande d'exemption de certains enseignements, était inadmissible. Traité au cas par cas, sous le contrôle contentieux du Conseil d'État et

généalogie de l'idée de séparation | causes de la séparation | loi du 9 décembre 190

l'éclairage de circulaires ministérielles, le problème a rebondi au cours du second semestre 2003 et a suscité la création, par le président de la République Jacques Chirac, d'une commission, présidée par Bernard Stasi, chargée de réfléchir sur l'application du principe de laïcité. Dans son rapport déposé le 11 décembre 2003, cette commission a proposé l'adoption d'une loi interdisant, au sein des seuls établissements publics d'enseignement, le port de tout signe ostensible manifestant, de la part des élèves, leur appartenance religieuse. À l'inverse du Conseil d'État qui se préoccupait essentiellement de la signification du port du signe, la commission Stasi a préféré se limiter à l'interdiction du signe lui-même. Le Parlement a été saisi d'un projet de loi inspiré des propositions de la commission et l'a entériné le 15 mars 2004.

> **La Ligue de l'enseignement* et la commission Stasi**
>
> « La laïcité doit conjuguer, avec la liberté de conscience et le pluralisme des cultures, la justice sociale, pour que la République, généreuse, respectueuse des identités et porteuse de diversité, soit concrètement, chaque jour un peu plus, ce qu'elle déclare être dans notre Constitution : démocratique, laïque et sociale. »
>
> **Audition du 4 novembre 2003**

Clarifier et codifier

La vigueur des débats suscités par ce projet de législation démontre la nécessité de n'aborder la modification de l'équilibre réalisé par la loi de 1905 qu'avec une sage prudence. Toute tentative de réécriture du texte, si modeste soit-elle, aurait pour conséquence de rouvrir la boîte de Pandore. Cela ne veut pas dire que l'évocation d'un siècle d'application de la loi doive conduire à ignorer les évolutions qui, depuis son adoption, ont traversé la société française, ni qu'il faille se priver de cette opportunité pour réaffirmer avec force les vertus incluses dans le texte. La solution réside vraisemblablement dans l'élaboration d'une Charte de la laïcité qui, après avoir rappelé les principes fondamentaux autour desquels s'est construite la singularité française, prendrait place en tête d'une codification de l'ensemble des textes qui, outre la loi de 1905, définissent le cadre et les modalités du modèle laïque français.

> Par la constitutionnalisation du principe de laïcité, la loi de 1905, de norme juridique organisant les relations entre les Églises et l'État, s'est muée en norme politique, acceptée de façon unanime. Elle a acquis un statut de principe, qu'on ne peut modifier sans courir de risques.

Textes de loi

Loi du 9 décembre 1905 (extraits)

Article 1 : *La République assure la liberté de conscience. Elle garantit le libre exercice des cultes sous les seules restrictions édictées ci-après dans l'intérêt de l'ordre public.*

Article 2 : *La République ne reconnaît, ne salarie ni ne subventionne aucun culte. En conséquence, à partir du 1er janvier qui suivra la promulgation de la présente loi, seront supprimées des budgets de l'État, des départements et des communes, toutes dépenses relatives à l'exercice des cultes. Pourront toutefois être inscrites auxdits budgets les dépenses relatives à des services d'aumônerie et destinées à assurer le libre exercice des cultes dans les établissements publics tels que lycées, collèges, écoles, hospices, asiles et prisons.*
Les établissements publics du culte sont supprimés, sous réserve des dispositions énoncées à l'article 3.

Article 3 : *Les établissements dont la suppression est ordonnée par l'article 2 continueront provisoirement de fonctionner, conformément aux dispositions qui les régissent actuellement, jusqu'à l'attribution de leurs biens aux associations prévues par le titre IV et au plus tard jusqu'à l'expiration du délai ci-après.*
Dès la promulgation de la présente loi, il sera procédé par les agents de l'administration des domaines à l'inventaire descriptif et estimatif :
1° Des biens mobiliers et immobiliers desdits établissements ;
2° Des biens de l'État, des départements et des communes dont les mêmes établissements ont la jouissance [...].

Article 4 : *Dans le délai d'un an, à partir de la promulgation de la présente loi, les biens mobiliers et immobiliers des [...] établissements publics du culte seront, avec toutes les charges et obligations qui les grèvent et avec leur affectation spéciale, transférés [...] aux associations qui, en se conformant aux règles d'organisation générale du culte dont elles se proposent d'assurer l'exercice, se seront légalement formées [...] pour l'exercice de ce culte [...]*

Article 8 : *Faute par un établissement ecclésiastique d'avoir, dans le délai fixé par l'article 4, procédé aux attributions ci-dessu prescrites, il y sera pourvu par décret. À l'expiration dudit délai, les biens à attribuer seront, jusqu'à leur attribution, placés sous séquestre.*

Article 13 : *Les édifices [propriété de l'État, des départements ou des communes] servant à l'exercice public du culte, ainsi que les objets mobiliers les garnissant, seront laissés gratuitement à la disposition des établissements publics du culte, puis des associations appelées à les remplacer auxquelles les biens de ces établissements auront été attribués [...].*

Article 18 : *Les associations formées pour subvenir aux frais, à l'entretien et à l'exercice public d'un culte devront être constituées conformément aux articles 5 et suivants du titre Ier de la loi du 1er juillet 1901. Elles seront, en outre, soumises aux prescriptions de la présente loi.*

Article 26 : *Il est interdit de tenir des réunions politiques dans les locaux servant habituellement à l'exercice d'un culte.*

Article 28 : *Il est interdit, à l'avenir, d'élever ou d'apposer aucun signe ou emblème religieux sur les monuments publics ou en quelque emplacement public que ce soit, à l'exception des édifices servant au culte, des terrains de sépulture dans les cimetières, des monuments funéraires, ainsi que des musées ou expositions.*

Article 31 : *Sont punis de la peine d'amende prévue pour les contraventions de la 5e classe et d'un emprisonnement de six jours à deux mois, ou de l'une des deux peines seulement, ceux qui, soit par voies de fait, violences ou menaces contre un individu, soit en lui faisant craindre de perdre son emploi* ou d'exposer à un dommage sa personne, sa famille ou sa fortune, l'auront déterminé à exercer ou à s'abstenir d'exercer un culte, à faire partie ou à cesser de faire partie d'une association cultuelle, à contribuer ou à s'abstenir de contribuer aux frais d'un culte.

Article 34 : *Tout ministre du culte qui, dans les lieux où s'exerce ce culte, aura publiquement par des discours prononcés, des lectures faites, des écrits distribués ou des affiches apposées, outragé ou diffamé un citoyen chargé d'un service public, sera puni d'une amende de 25 000 francs et d'un emprisonnement d'un an, ou d'une de ces deux peines seulement* […].

Article 35 : *Si un discours prononcé ou un écrit affiché ou distribué publiquement dans les lieux où s'exerce le culte contient une provocation directe à résister à l'exécution des lois ou aux actes légaux de l'autorité publique, ou s'il tend à soulever ou à armer une partie des citoyens contre les autres,* le ministre du culte qui s'en sera rendu coupable sera puni d'un emprisonnement de trois mois à deux ans, sans préjudice des peines de la complicité, dans le cas où la provocation aurait été suivie d'une sédition, révolte ou guerre civile.

Loi du 2 janvier 1907 (extrait)

Article 5 : *À défaut d'associations cultuelles, les édifices affectés à l'exercice du culte, ainsi que les meubles les garnissant, continueront, sauf désaffectation dans les cas prévus par la loi du 9 décembre 1905, à être laissés à la disposition des fidèles et des ministres du culte pour la pratique de leur religion. La jouissance gratuite pourra en être accordée soit à des associations cultuelles* […], *soit à des associations formées en vertu* […] *de la loi du 1ᵉʳ juillet 1901,* […] *soit aux ministres du culte dont les noms devront être indiqués* […].

Glossaire

Aumônerie : institution créée au sein de certains services publics civils (établissements scolaires, hôpitaux, prisons) ou militaires, permettant d'assurer le libre exercice des cultes au bénéfice de personnes ne disposant pas de la possibilité de se déplacer dans des lieux de culte. Elles sont financées sur fonds publics.

Biens nationaux : biens qui appartenaient aux ordres privilégiés, principalement au clergé, et dont la propriété a été transférée à la nation lors de la Révolution française.

Buisson (Ferdinand) (1841-1932) : inspecteur général de l'Instruction publique, auteur d'un célèbre *Dictionnaire de pédagogie*. Anticlérical militant, élu député, il se fait le défenseur infatigable de la laïcité. Il présidera la Ligue de l'enseignement* ainsi que la Ligue des droits de l'homme.

Clemenceau (Georges) (1841-1929) : médecin puis journaliste et homme politique français, il incarne au début de la IIIᵉ République le courant radical le plus attaché au programme de Belleville. Engagé dans la défense du capitaine Dreyfus aux côtés d'Émile Zola, il va, comme président du Conseil de 1906 à 1909, être l'un des principaux artisans de l'application de la loi de 1905.

Clergé constitutionnel / Clergé réfractaire : lors de l'adoption de la Constitution civile du clergé en 1790, les membres du clergé catholique qui acceptent de prêter le serment constitutionnel sont qualifiés de « constitutionnels » ou « jureurs », les autres de « réfractaires ».

Clergé régulier : il est constitué par les membres des congrégations* religieuses soumises à une règle particulière qu'ils s'engagent à respecter.

Clergé séculier : il est constitué des ministres du culte (évêques, curés, rabbins, pasteurs, imams) chargés de présider aux rites d'une religion en présence de fidèles et qui, éventuellement, administrent des sacrements.

Cléricalisme : prétention d'une Église à assumer des responsabilités d'ordre politique.

Concordat : traité conclu entre un État et le Vatican, dont l'objet est d'organiser le régime du culte catholique et les conditions de son exercice.

Congrégation : ordre religieux dont les membres sont soumis à une même règle (Jésuites, Assomptionnistes, Bénédictins, etc.). C'est essentiellement autour des congrégations que se cristallise au cours du XIXe siècle l'opposition entre cléricaux et anticléricaux. La loi de 1901 les soumet à un régime d'autorisation.

Conseil d'État : créé par Bonaparte, il constitue la plus haute des juridictions administratives françaises. Il est par ailleurs consulté par le gouvernement sur des projets de loi ou de décret ainsi que sur certaines questions de droit.

Cultes reconnus : il s'agit des cultes catholique, luthérien, calviniste et de la religion juive qui, en application du Concordat de 1801 et des Articles organiques, seront organisés par l'État et se verront jusqu'en 1905 reconnaître un statut de service public.

Établissement public du culte : institution de droit public dotée de qualifications diverses (fabriques, menses, etc.), créée dans le prolongement du Concordat pour assurer l'exercice du culte et pourvoir à la gestion et à la construction d'édifices du culte. Elle subsiste dans les deux départements alsaciens et en Moselle.

Ferry (Jules) (1832-1893) : ministre de l'Instruction publique et président du Conseil. Il est l'initiateur des principaux textes législatifs qui, entre 1879 et 1886, ont créé une éducation obligatoire et organisé un enseignement public laïque et gratuit. Il est également l'un des responsables de l'adoption de la loi sur la liberté syndicale. Sa politique coloniale sera à l'origine de sa chute.

Franc-maçonnerie : organisation philosophique et initiatique créée au début du XVIIIe siècle dans un esprit de tolérance. Sa principale composante française, le Grand Orient de France, jouera, à compter de 1877, un rôle essentiel de soutien et d'initiative dans le processus de laïcisation des institutions républicaines.

Gallicanisme : doctrine exposée pour la première fois lors du concile de Paris (1396-1398), qui affirme l'indépendance temporelle de l'autorité civile et une certaine autonomie de l'Église catholique de France par rapport à la papauté.

Gambetta (Léon) (1838-1882) : avocat et homme politique français. Tribun d'exception. Adversaire du Second Empire. Il est l'auteur en 1869 du programme radical de Belleville, qui comporte l'engagement de séparer les Églises et l'État.

Libre Pensée : mouvement fondé en 1848 contre le « parti clérical ». Il se réclame de la raison et de la science et s'affirme adversaire de toutes les religions, considérées comme des obstacles à l'émancipation de la pensée.

Ligue de l'enseignement : mouvement d'éducation populaire créé par Jean Macé en 1866. Elle sera un acteur essentiel qui n'a cessé d'accompagner, puis de défendre, la laïcisation des institutions républicaines.

Loi Falloux : loi votée au mois de mars 1850, sous la IIe République, qui renforce considérablement l'enseignement confessionnel.

Mainmorte : situation particulière des biens appartenant à une institution religieuse (les congrégations* principalement), qui sont inaliénables et ne sont pas soumis aux droits de mutation.

Ordre moral : désigne la coalition conservatrice et monarchiste qui se noue au lendemain de la Commune de Paris et qui, en 1873, va porter le maréchal Mac-Mahon à la présidence de la

généalogie de l'idée de séparation   causes de la séparation   loi du 9 décembre 19

République. Il marque l'avancée ultime de la poussée cléricale au XIXᵉ siècle.

Sécularisation : transfert vers les autorités civiles de prérogatives ou de compétences détenues auparavant par des autorités religieuses. Pour le sociologue Max Weber, le mot désigne également le processus sociologique de désaffiliation des individus à l'égard de la religion.

Ultramontanisme : doctrine favorable à la reconnaissance d'une autorité absolue au pape et à la primauté de l'Église de Rome. Défendue par certains ordres religieux, dont les Jésuites, cette doctrine sera celle de l'Église de France au cours du XIXᵉ siècle.

Waldeck-Rousseau (Pierre) (1846-1904) : homme politique français. Président du Conseil de 1899 à 1902, il est à l'origine de la révision du procès Dreyfus et de l'adoption de la loi de 1901 instaurant la liberté d'association et soumettant les congrégations* religieuses à un régime d'autorisation.

Bibliographie

BARBIER (Maurice), *La Laïcité*, L'Harmattan, 1995.

BAUBÉROT (Jean), *Histoire de la laïcité en France*, PUF, 2003.

BAUBÉROT (Jean) et MATHIEU (Séverine), *Religion, modernité et culture au Royaume-Uni et en France (1800-1914)*, Seuil, 2002.

BAUDOUIN (Jean) et PORTIER (Philippe) (sous la dir. de), *La Laïcité : une valeur d'aujourd'hui ?*, Presses universitaires de Rennes, 2001.

BOUSSINESQ (Jean), *La Laïcité française : mémento juridique*, Seuil, 1994.

BOYER (Alain), *Le Droit des religions en France*, PUF, 1993.

BOYER (Alain) *1905 : la séparation Églises/État*, Cana, 2004.

CABANEL (Patrick), *Le Dieu de la République : aux sources protestantes de la laïcité (1860-1900)*, Presses universitaires de Rennes, 2003.

COQ (Guy), *Laïcité et République : le lien nécessaire*, Félin, 2003.

DUCLERT (Vincent) et PROCHASSON (Christophe) (sous la dir. de), *Le Dictionnaire critique de la République*, Flammarion, 2002.

DUCOMTE (Jean-Michel), *Regards sur la laïcité*, Edimaf, 2000.

DUCOMTE (Jean-Michel), *La Laïcité*, Milan, 2001.

DURAND-PRINBORGNE (Claude), *La Laïcité*, Dalloz, 2004.

HAARSCHER (Guy), *La Laïcité*, PUF, 2004.

LALOUETTE (Jacqueline), *La République anticléricale (XIXᵉ-XXᵉ siècle)*, Seuil, 2002.

LE GOFF (Jacques) et RÉMOND (René) (sous la dir. de), *Histoire de la France religieuse*, 4 volumes, Seuil, 1992.

MAYEUR (Jean-Marie), *La Séparation des Églises et de l'État*, Éditions ouvrières / L'Atelier, 1991 (réédition prévue en 2005).

MERLE (Gabriel), *Émile Combes*, Fayard, 1995.

OUDIN (Bernard), *Aristide Briand*, Perrin, 2004.

PENA-RUIZ (Henri), *Qu'est-ce que la laïcité ?*, Gallimard, 2003.

POULAT (Émile), *Notre laïcité publique*, Berg International, 2003.

RÉMOND (René), *L'Anticléricalisme en France : de 1815 à nos jours*, Complexe, 1985.

WEILL (Georges), *Histoire de l'idée laïque en France au XIXᵉ siècle*, Le bord de l'eau, 2004.

WINOCK (Michel), *La France politique : XIXᵉ-XXᵉ siècle*, Seuil, 2003.

Index

Le numéro de renvoi correspond à la double page.

Responsable éditorial
Bernard Garaude
Directeur de collection
Dominique Auzel
Suivi éditorial
Cécile Clerc
Assistante d'édition
Sophie Boizard
Correction-Révision
Claire Debout
Iconographie
Sandrine Batlle
Maquette
Rachel Bisseuil
Couverture
Bruno Douin
Fabrication
Isabelle Gaudon / Magali Martin

Crédit photos

p. 3 : © Giraudon
p. 6 : © Archivo Iconografico, S.A. / CORBIS
p. 13 : © Explorer Archives / Keystone - France
p. 15 : © © Archivo Iconografico, S.A. / CORBIS
p. 20 : © Collection Roger-Viollet
p. 22 : © Bettmann / CORBIS
p. 26 : © Bettmann / CORBIS
p. 31 : © Collection Roger-Viollet
p. 39 : © Robert Holmes / CORBIS
p. 40 : © Lapi-Viollet
p. 44 : © Rue des Archives
p. 49 : © Pascal Parrot / CORBIS SYGMA
p. 51 : © Alain Nogues / CORBIS
p. 58 : Ludovic / REA

© 2005 Éditions MILAN
300, rue Léon-Joulin,
31101 Toulouse Cedex 9 France

ISBN : 2-7459-1384-0
D. L. 3ᵐᵉ trimestre 2005
Aubin Imprimeur, 86240 Ligugé
Imprimé en France P 68942